S0-ATX-100

Das Saarland

Das Saarland

in Bildern von Werner Richner und Texten von Guido König

Queißer Verlag

Umschlag- und Innengestaltung:
Charly Lehnert
Übersetzung der Texte ins
Englische und Französische:
Hildegard Leßmann
Fotos auf Seite 30,32,33,56,57,78:
Manfred Queißer

ISBN 3-921815-28-2

Inhalt

Unsere Geschichte

"Keine Geschichte beginnt mit ihrem Anfang; die Wurzeln des Baums sind dem Auge verborgen, aber sie reichen hin bis zu den Wassern"
(Stefan Heym)

Die früheste Erinnerung an saarländische Geschichte, die, wie mir später aufging, Weltgeschichte war, verband sich mit langen Kolonnen von Militärfahrzeugen. Sie rollten, vom Osten kommend, in unaufhörlichem Zug durch mein Heimatdorf nach Westen.
August 1939.
Ein siebenjähriger Junge, gerade Abc-Schütze geworden, verwundert, mit verschattendem Blick, ein dunkles Ahnen im Herzen. Er stand und staunte am Straßenrand, zwischen Elternhaus und Schulhof, und hörte die Stimmen der Leute im Dorf, die von Krieg und Sieg, aber auch von Angst und Tod sprachen. Dinge, von denen er nichts verstand. Er staunte und stand: endlose Autokarawanen, von Regimentern Soldaten unterbrochen, denen Mädchen und junge Frauen Wasser reichten unter glühender Sommersonne...
Das Saarland: Aufmarschgebiet, Durchgangsland, Stützpunkt.
An der Westgrenze Deutschlands.
Geschichte als Geschichte von Machtkämpfen, Machtverschiebungen und Machtergreifungen.
So war es immer.
Zeiten friedlichen Fortkommens, wo Leben und Treiben der Menschen, Handel und Wandel gediehen, kurze oder längere Ruhepausen zwischen Kriegsnot, Drangsal und Unterdrückung.
So war es immer.
Denn die Schicksale von Grenzgebieten, Randländern und Pufferstaaten gleichen sich. Ob reich und begehrt, ob arm und ungeliebt – Knautschzonen an den Machtvehikeln der Großen, den Starken dieser Erde. Sie liegen von Anfang an dazwischen und damit daneben. Sie werden in aller Regel von ihren mächtigen Nachbarn (die als Schutzherren antreten, als Streithähne auftreten, als Todfeinde abtreten!) aufgeteilt, verteilt, dem einen weggenommen, dem andern zugeschlagen. Je nachdem.
Trauriger Reigen aus Macht und Haß, Mißgunst und Neid.
Weltgeschichte – factum brutum: eine grausame Göttin.
Das Land an Saar und Nahe, Mosel, Oster und Rossel, Blies, Prims, Nied und Bist weiß ein Lied davon zu singen.
Im zwanzigsten Jahrhundert, als Kind alten Streits zweier Nachbarvölker nach dem Ende des Zweiten Weltkriegs im Jahre 1947 geschichtlich aus der Taufe gehoben, an der Grenze zwischen Deutschland und Frankreich als autonomes Staatsgebilde entstanden.

Politisch eigenständig, wirtschaftlich dem einen angeschlossen, kulturell dem anderen verbunden.
Sein Name sei Saarland.

*

Anfänge haben ihren Ursprung, Entwicklungen ihren Grund.
Mit dem Förderkorb in die Schächte der Geschichte einfahren - eine Reise in die früheste saarländische Vergangenheit.
Die tiefste Sohle des Prähistorischen verschüttet, überlagert - dennoch: Tiefenschürfer haben einiges ans Tageslicht gebracht. Die Funde so ergiebig und spärlich wie anderswo in Europa:
Faustkeile und Steinbeile, Gefäßschaben und Pfeilspitzen. Sammler und Jäger der Alt- und Jungsteinzeit jagen in den Hochwäldern und Niederhölzern der Saarlande Mammut, Bär und anderes Großwild. Ackerbauer und Handwerker finden in den saarländischen Flußebenen und Talauen elementare Daseinsgrundlagen, schaffen in kleinen Höhlensiedlungen bescheidene Lebensqualitäten.
Ihre Gerätschaften und Gebrauchsgegenstände, Schmuckstücke und Werkzeuge
- im Landesmuseum zu Saarbrücken und andernorts zu bestaunen - zweckvoll, sinnreich hergestellt, formvollendet, schön gestaltet.
In der Latènezeit (450 v. Chr. bis zur Zeitenwende) beginnt das Saarland Geschichte zu machen. Die neuen Herren heißen Kelten.
"Die Kelten waren zweifellos eine äußerst bildungsfähige Nation und lange vor Cäsar den Kultureinflüssen der Mittelmeervölker zugänglich. Die Bewohner des Trierer Landes waren als tüchtige Reiter bekannt; in den ausgedehnten Wäldern der Saargegend weideten große Herden von halbwilden Säuen, während auf den Bergtriften Schafzucht getrieben wurde.
In der Tracht liebten sie das Auffallende und Bunte. Es schmückten sich nicht nur die keltischen Frauen, sondern auch die Männer mit goldnen Ringen Hals, Arme, Handwurzel und Finger.
Als Charaktereigenschaften dieses Volkes treten Tapferkeit und ritterlicher Sinn hervor, Vorzüge, denen Neugier, Neigung zur Prahlerei und Wankelmut als nationale Fehler gegenüberstanden.
Ihr Getränk war Bier, aus Gerste hergestellt, und aus Honigwasser gegorner Met; doch besonders liebten sie den feurigen Wein, den ihnen italienische Kaufleute brachten.
Politisch zerfielen sie in eine große Zahl von einzelnen Stämmen, die einander befehdend, sich zu Sonderbünden zusammenschlossen und schließlich fremde Eroberer ins Land riefen."
(Albert Ruppersberg, Geschichte der ehemaligen Grafschaft Saarbrücken. Saarbrücken 1899)
Unsere keltischen Vorfahren, politisch, wirtschaftlich und kulturell bedeutsam, errichten Zentren ihrer Hausmacht und Lebensart: Im Süden des Dreistromlands von Saar, Mosel und Blies die Mediomatriker, im Norden die Treverer - Talburgen in den Ebenen die einen, Ringfesten auf den Höhen die andern. Am Anfang saarländischer Geschichte stehen zwei bedeutende historische Gestalten: Ein Mann und eine Frau, ein treverischer Herzog und eine mediomatrische Fürstin. Der eine durch Schriftzeugnis belegt, die andre durch Grabfunde bezeugt. Der erste besitzt eine gewaltige Veste im nordsaarländischen Hochwald, die zweite findet ihre Totenkammer im südlichen Saarland an der Blies. Der Name des Nordländers Indutiomarus, Burgherr auf dem Hunnenring in einem offenen Hügelland; der Name der Südländerin unbekannt, sie herrscht im Bliesgau zu beiden Seiten einer weiten Flußlandschaft.
(Die Grenze zwischen den friedlicheren Südkelten - nach römischer Gebietsbeschreibung - Gallia Belgica prima - und den kriegerischen Nordkelten - Gallia Belgica secunda genannt - verläuft durch das Tal des Scheidterbachs: der Spillenstein, ein Menhir, ehedem Kultstein, jetzt Grenzstein, oder weiterhin beides zugleich, wie der Gollenstein bei Blieskastel.)
Monumente der Zeit werden zu Dokumenten geschichtliche Größe, Zeitdokumente zu Monumenten europäischen Rangs:
Denkmäler legen Zeugnis ab, Zeugnisse schaffen Erinnerung.
Unter allen Fürstengräbern des Saarlands (und darüber hinaus!) ragt eins in monumentaler Einzigartigkeit hervor: Das Grab der Fürstin von Reinheim, unweit der südsaarländisch-lothringischen Grenze. Die erste 'Saarländerin' tritt aus dem Zeitendunkel ins Licht keltischer Geschichte. Der reiche Fund ihres Goldgeschmeides, Bernsteinschmucks und Bronzegeräts zeugt von feinster Kultur, von hochentwickelter Lebensform. Der Halsreif aus purem Gold, an den Enden mit zierlichen Vogelköpfen gehelmt - nur eine Königin kann ihn getragen haben! Gefäße erlesenster Form mit Feindekor und eindrucksvollem Tonbrand, an einem Fürstenhof verwendet, lassen vermuten, daß auch die Landeskinder keineswegs unkultiviert, mitnichten unzivilisiert waren.
Die Blieskeltin von Reinheim, eine mediomatrische Fürstin:
Ihr Zeugnis schriftlos zwar, jedoch nicht unberedt. Namenlos für uns, namhafte Persönlichkeit den Zeitgenossen fürwahr.
Unter allen Steinwällen des Saarlands (und weit darüber hinaus!) ragt einer in monumentaler Einzigartigkeit hervor: Der Hunnenring von Otzenhausen, nahe der nordsaarländisch-pfälzischen Grenze. Der erste 'Saarländer' tritt in die Geschichtshelle geschriebenen Zeugnisses: Indutiomarus, Herrscher aus einem treverischen Adelsgeschlecht mit Stammsitz auf dem größten Ringwall Europas, befestigte Burgstadt eines mächtigen Volkes.
Der gigantische Ringwall: eine bis zu zehn Meter hohe, im Fundament dreißig Meter breite und insgesamt 2210 Meter lange Verteidigungsanlage. Sie aufzutürmen, bedarf es in maschinenlosen Zeiten eines riesigen Aufgebots von Menschen. Ihr Ausbau in kriegerischer Epoche (die Heere Roms erobern die Welt!) zu einer uneinnehmbaren Festung verlangt eine militärische Intelligenz, die ihresgleichen sucht. Indutiomarus baut sie im ersten Jahrhundert vor Christi Geburt zur Fliehburg aus.
Der Stammesfürst und Heerführer der Saarkelten bekannt und bezeugt durch einen hervorragenden Chronisten und Widersacher. Kriegsberichterstattung aus erster Hand, und im Klartext mit deutlicher Handschrift:
De Bello Gallico oder Über den Gallischen Krieg. Der Name des Autors Julius Cäsar.
Ein römischer Imperator erkennt seinen gefährlichsten Gegner in Westeuropa. Indutiomarus, der Führer des keltischen Dreimännerbunds, mit Widerstandsnestern im Ardenner Wald, auf dem Saargau und am Hunsrück, zieht dem Aggressor aus Rom und seinen Heeren entgegen.
Es steht auf des Messers Schneide.
Der gallische Aufstand endet in Blut und Tränen. Von stammesverwandten Kopfjägern des römischen Lagerkommandanten Labienes verfolgt, gestellt, erschlagen bei Marche-en-Famenne - ein Trevererfürst unrühmlich zu Tode gekommen im Jahre 54 vor der Zeitenwende.
Cäsar siegt über Indutiomarus, die Römer überwinden die Kelten. Ein Widerstand bricht zusammen.
Die Geschichte des Saarlandes steht von Anfang an im Zeichen des Widerstands. Widerstand aus erlittenem Unrecht, aus Empörung gegen Gewalt und Knechtschaft, aus Zorn und Trauer über so viel Demütigung und Verrat.
Andere Volksstämme und Stammesfürsten führen Löwe, Adler, Schlange oder Drache im Wappen: herrschaftsvoll, hochfahrend, listig oder wundersam. Symbole der Wirklichkeit.
Die Distel des Indutiomarus!
Auf karger Erde wachsend, erhebt sich die Distel in der Nachbarschaft der Königskerze. Deren majestätischem Gold ebenbürtig, bricht silberner Glanz in strahlender Blüte hervor. Über Nacht sprengt sie die krause Kapsel, die Banden des stachelbewehrten Kerkers, und tritt ins Licht. Zertreten noch windet sie sich empor und überdauert.
Die Geschichte des Saarlands eine Geschichte des Widerstands.
Im Zeichen der Distel.
Seither, durch die Zeiten bis in unsere Tage.

*

Die wahrheitsgemäß erinnerte Entwicklung frühsaarländischer Geschichte:
Kelten kultivieren, Römer zivilisieren das Land, Franken kolonisieren, iro-schottische Wanderprediger und Einsiedler missionieren es.

Tatort Saarland: drittes bis sechstes Jahrhundert nach Christi. Es gärt und brodelt in Europa. Große Völkerwanderung.
Landsuche, Verhandlungen - Kriege, Unterwerfungen. Weltreiche gehen unter, junge Völker gründen neue Länder: Adelsherrschaften, Fürstentümer, Königreiche. Unruhige Zeiten, zerstörte Reiche, verwüstetes Land.
Die vereinigten römischen und westgotischen Heere unter Flavius Aëtius und Theoderich drängen die Hunnen des Attila über den Rhein zurück (451 Schlacht auf den Katalaunischen Feldern bei Paris!)
Ab 455 erobern die Franken das linke Rheinufer. Moselgebiet und Saarbliesland fallen ihnen mehr oder weniger kampflos zu - oder fand die Schlacht von Zülpich (491) doch bei Tholey statt?!
Seit Chlodwig, dem Merowingerkönig (481-511) herrschen die Franken an der Saar. Dem machtpolitischen Interesse der 'Reichsschmiede' fügt sich, nahtlos wie immer, der Eigennutz der belohnten, belehnten Heerführer und Kampfgenossen ein. Franken nehmen das Land in Besitz: Die Saar aufwärts Besseringen, Hilbringen, Rehlingen, Beckingen, Dillingen, Völklingen, Güdingen, Bübingen, Fechingen. Aber auch in der Bliesgegend gründet der Frankenadel Dörfer: Gersheim, Reinheim, Bebelsheim, Wittersheim, Herbitzheim, Bliesdahlheim, Webenheim.
Den Kolonisten folgen die Missionare auf dem Fuß. Der König, nach glänzendem Sieg über die bedrohlichen Alemannen bei Zülpich-Tholey, von Bischof Remigius zu Reims getauft: "Du stolzer Sygambrer, verbrenne, was du anbetetest, und bete an, was du verbranntest."
Das Christentum, nunmehr Staatsreligion, breitet sich aus. Adel und Volk, arm und reich hängen dem neuen Glauben an.
Im Laufe des siebten Jahrhunderts entstehen christliche Keimzellen und Pflanzstätten.
Dort, wo früher keltische und römische Gottheiten verehrt wurden: Kapellen, Kirchen, Klöster - Einsiedeleien, Abteien, Stifte.
Klostergründungen in Tholey, St. Ingbert, Mettlach und St. Arnual ragen von Anfang an hervor.
Aus dem Kreis der glaubensstarken, eifernden Eremiten und Mönche um Wendalinus, Ingobertus, Luitwinus und Arnualdus, Landesheilige aus fernen fürstlichen Geschlechtern, sagenumwoben und legendenumrankt, tritt ein fränkischer Edelmann ins Licht der saarländischen Missionsgeschichte. Auf Resten und Ruinen einer römischen Kastellanlage und Badeanstalt erwächst ein christliches Kloster.
Die älteste saarländische Urkunde aus dem Jahre 634, ein Schriftzeugnis hohen Rangs aus dem deutschen Frühmittelalter, bekundet: Adalgisel, genannt Grimo, Diakon der Heiligen Römischen Kirche, vermacht Eigenkirche mit Recht und Besitz testamentarisch dem Bischof von Verdun. Aus dem Konvent, ein Priesterkolleg nach Art eines Stiftes, entwickelt sich, den Absichten der Kirche, dem Brauch ihrer Orden gemäß, die Stiftskirche St.Mauritius, eine Benediktinerabtei.
Tholey am Schaumberg: Einst eine alte Keltenburg auf der Höhe, eine frühe Römersiedlung am Hang - nun Missionsstätte im Herzen des Saarlands. Sie übt lange ihren friedlichen, segensreichen Einfluß auf Land und Leute aus: "Unterm Krummstab ist gut leben" - geflügeltes Wort durch die Zeiten.
Damals und in der folgenden Epoche weithin leuchtend, wirkend Klösterliches, Orden(t)liches aus dem Saarland: Benediktiner in Tholey, Mettlach und Böckweiler, Zisterzienser in Wörschweiler, Prämonstratenser in Wadgassen, Wilhemiten-Chorherren in Gräfinthal und Augustiner-Chorherren in St. Arnual.
Das Zwingende von Erlebnis, Eingebung, von Erinnerung, Einfall läßt Beweise von Tatkraft, Lebensweise und Glaubensform offen zu.
Es liegt auf der Hand, daß die gallo-fränkischen Saarländer jener Zeit in einem Winkel der Weltgeschichte, abseits der großen imperialen Gebärden, in Frieden und Freiheit Ackerbau, Handwerk und Handel betrieben. Viel von dem fanden sie, was sie im Innersten, Eigensten prägte bis auf den heutigen Tag. Was auf tiefstem Grund der Seele einst sich rettete, barg, trug der Geist herüber in höhere Gegenwart.

*

"Ein bekannter historischer Charakter, z.B. Sokrates oder Cäsar, tritt, wenn ihn der Dichter ruft, wie ein Fürst ein, und setzt sein COGNITO voraus. Ein Name ist eine Menge Situationen".
(Jean Paul)

Die Situation: Grafschaft Saarbrücken Mitte achtzehntes Jahrhundert.
Wilhelm Heinrich von Nassau-Saarbrücken weilt vom 24. Januar bis 12. Februar 1742 in Frankfurt am Main. Wahl und Krönung eines deutschen Kaisers: Karl VII. Das politische Geschäft zieht die Edlen und Schönen aus allen Teilen des Heiligen Römischen Reiches Deutscher Nation an. Der nassauische Fürst, vierundzwanzigjährig und mit dem Flair französischer Courtoiserie, lernt die schöne siebzehnjährige Gräfin Sophie von Erbach kennen. Er ist nicht der einzige durchlauchtigste Bewerber. Diese zögert.
Vom Vater zur Entscheidung unter 'Hausarrest' gestellt, erklärt schließlich: "Wenn es denn einer sein muß, so sei's der Fürst von Saarbrücken".
Eine Saarbrücker Hochzeit steht ins Haus. Die Heirat allegro vivace. Am 28. Februar beziehen die Neuvermählten den Wohnsitz im Schloß ob der Saar. Der glänzende Herrensitz, ein Mittelbau mit zwei Seitenflügeln, von Säulen und Karyatiden getragenes Vestibül und große Treppe, mit Aussicht ins Saartal und auf den Halberg. Die Saar fließt am Fuß des steilen Burgfelsens, der abgeschrotet, den Schloßgarten in Terrassen abstuft und erfüllt mit Bassins, Springbrunnen, Taxushecken, Pavillons und Statuen. Versailles läßt grüßen!
Aber schon bald verjagt Mars Venus aus den Palasträumen. Der Fürst zieht in den Krieg. Österreichischer Erbfolgestreit. Die Frage: Kann eine Frau die Regierungsgeschäfte im Hause Habsburg übernehmen? (Maria Theresia schafft den Sprung ins höchste Staatsamt!)
Während der frischgekürte Gegenkaiser noch beim Krönungsmal sitzt, fällt der Parteigänger der Österreicherin, Freischarenführer Oberst Menzel, mit 500 ungarischen Husaren und Panduren ins Saarland ein.
"Die Franzosen aber kamen ihm am 28. August mit 500 Mann Fußvolk, Husaren und Dragonern zuvor und warfen sich sogleich in das mit Mauern und Gräben versehene Städtlein St. Johann.
Am folgenden Tage kamen auch noch 400 französische Husaren von Saargemünd über Güdingen auf dem Eschberger Hof an.
Nachmittags um 1 Uhr ließen sich um den Eschberg einige ungarische Husaren sehen.
Auf diese gingen die Franzosen los und scharmützierten lange mit ihnen. Die Ungarischen wurden verstärkt und trieben also die Franzosen vom Halberg herein bis auf die Kottenfelder.
Da machten sich einige Dragoner und Husaren aus St. Johann hinaus, und ging das Schießen stark wieder an. Die Ungarn bekamen noch 60 Mann zur Hülfe, welche um 2 Uhr noch hier zu Dudweiler waren und das Schießen höreten.
Diese trieben die Franzosen zurück bis in die Stadt, die Ungarn wollten nach, aber die Infanterie schoß beim oberen Tor so stark auf sie, daß sie nicht herbeikonnten. Und damit hatte diese Aktion ein Ende. Von denen Ungarn wurden 3 blessiert, sie aber töteten einen französischen Husaren und erbeuteten das Pferd. Die Franzosen gingen in die Mauern, und die Kaiserlichen zogen sich nach St. Ingbert zurück. Freitags, den 30., war alles stille.
Indessen war die Angst zu Dudweiler sehr groß, die Leute flüchteten ihre besten Sachen in den Kirchturm".
(Zeitbericht des Pfarrers Barthes aus Dudweiler)
Was wie ein Operettenkrieg scheint, den Bürgern und Bauern ist es grausame Last.
Ein Leben in Unfreiheit und Ausbeutung, mit Abgaben und Frondiensten und ohne Sinn und Richtung bestimmen den Alltag. Das Saarland, vordem lange Zeit von Kriegsstürmen heimgesucht, verarmt, bietet ein düsteres Bild. Wenig bevölkerte Städte und Dörfer, kleine unscheinbare Häuser und Hütten verraten die traurige Lage der Saarländer. Stumpf und gleichgültig fristen sie ihr Leben. Die Bauern, leibeigen an die Scholle gefesselt, die Städter ohne unternehmerische Tatkraft.
Der Fürst, weltläufig, intelligent und energisch, weckt und fördert seine Untertanen auf allen Lebensgebieten. Die Regentschaft Wilhelm Heinrichs für die Saargegend eine Epoche relativer Ruhe und milden Fortschritts.
Der 'Saarbrücker Bub' verhilft der Grafschaft zu

Aufschwung und Stetigkeit. Er unterstützt Handel und Verkehr, regt die Herstellung von Glas und Porzellan an und verstaatlicht den Bergbau.
So sehr der Landesfürst bäuerliche und handwerkliche, kaufmännische und industrielle Unternehmungen durch persönliche sachverständige Anteilnahme fördert, vorantreibt – seine Finanzpolitik ein Faß ohne Boden. Er erschöpft sein Geld in großartigen Bauten, hohen Zuwendungen an Günstlinge und jährlichen, mehrmonatigen Aufenthalten in Paris. Durch glänzende Hofhaltung und teure Soldatenliebhaberei befindet er sich nahezu immer am Rand staatlichen Bankrotts.
Das Saarbrücker Renaissance-Schloß läßt der Landesherr, prunkliebend, prachtentfaltend, umbauen, Kirchen und Häuserzeilen errichten: Ein vornehmes, barockes Stadtgesicht entsteht. Nachzulesen in einem Stück Reiseprosa der Zeit:
"Wir gelangten über Saargemünd nach Saarbrück, und diese kleine Residenz war ein lichter Punkt in dem so felsig waldigen Lande. Die Stadt, klein und hügelig, aber durch den letzten Fürsten wohl ausgeziert, machte sogleich einen angenehmen Eindruck. Die Häuser sind alle weiß-grau angestrichen, und die verschiedenen Höhen derselben gewähren einen mannigfaltigen Anblick. Mitten auf einem schönen mit ansehnlichen Gebäuden umgebenen Platz steht die lutherische Kirche, in einem kleinen, aber dem Ganzen entsprechenden Maßstabe."
(Johann Wolfgang Goethe, Dichtung und Wahrheit)
Wo Licht – da Schatten. Der Fürstenwille allein geltendes Gesetz; viel und strenges Regieren im Staate Saarbrücken. Die Saarländer auf Schritt und Tritt überwacht und eingeengt.
Sommers nach Zehn, winters nach Neun, ohne amtliche Erlaubnis, niemand auf der Straße. Landgarden unter scharfen Wachtmeistern kontrollieren die Stadt und das Land, halten Straßen von Gesindel frei und ahnden Übertretungen und Vergehen hart. Der ständig geldverlegene Fürst treibt Steuern ein – auf alles und jedes. Abgaben und Fronden jeder Art lassen keinen Saarländer seines Besitzes froh werden. Überzeugt, daß seine Maßnahmen und Anordnungen dem Land zum besten gereichten, ist Wilhelm Heinrich bestrebt, den Wohlstand zu heben.
Bei unzureichenden Mitteln unzulänglich genug – teils aus Herrscherschuld, teils wegen der Zeitverhältnisse.
Viel Not, viel Armut, Wucher und Betrug und daraus Zank und Streit. Hohe Zeit für Advokaten. Die Prozeßlawinen wachsen an. Der Fürst schreibt eigenhändig einen Erlaß an seine Kanzlei und läßt ihn als Befehl durchs Land gehen:
"Ich habe Ihnen schon vor etlicher Zeit gesagt, daß es gar kein End hier gibt mit Prozessen und Appellieren und vierwöchentlichen Aufschiebungen. Diesem muß sowohl als auch dem Über(hand)nehmen der Advokaten ein End gemacht werden. Also bestellen Sie mir hierher auf den Sonntag den Herrn von Rodenhausen und Herrn von Lüder und setzen sich miteinander hin und gehen nicht eher auseinander, bis diesem unverantwortlichen Übel abgeholfen ist und nehmen nichts anders vor als dieses.
Saarbrücken, den 17. Nov. 1750"
Das Fürstentum von Saarbrücken, aus dem alten deutschen Königsgeschlecht der Nassauer stammend (in Luxemburg und Holland regieren sie noch heute!), wird von der Französischen Revolution hinweggefegt.
Eine Feudalherrschaft geht unter.
Heute an der Saar wie überall in deutschen Landen romantisch gewordne adelsherrliche und militärgeschichtliche Spuren aus längst vergangenen Tagen: Kleine Fürstenresidenzen in Saar- und Bliesstädten, Sommersitze mit Parks und Lustschlößchen im ganzen Land, Wehrwohnburgen des Kleinadels, Bergfesten auf Hügelhöhn, Wasserzitadellen in Talauen. In Reiseführern und Bildatlassen, dem historisch Interessierten, Bewanderten, Erwandernden, benannt, bekannt und aufgezeigt zu nostalgischem Erlebnis geschichtlicher Welt. Vergangenheit, Gedächtnis erinnernd, von Würde und Wert. Einst Wirklichkeiten, die das Leben der Saarländer bestimmten und ausrichteten.
In guten wie in bösen Tagen. Hochfahrende Herren und milde Mitregenten auf der einen Seite, hörige Landleute und selbstbewußte Stadtleute auf der anderen.
Freie Bürgerschaften und kirchenabhängige Bauerngeschlechter.
Saarländische Geschichte vom frühen Mittelalter durch die ganze Neuzeit bis ins 20. Jahrhundert (1919!) stets auch Geschichte feudalen Machtkampfs, Machtbesitzes und Machtverlustes.
Das Saarland der Gegenwart, aus republikanischem Geist erwachsen, demokratisch verfaßt und geordnet, in Parlament, Regierung und Verwaltung souverän – ein freies Land unter freien Völkern.
Saarbrücken – Landeshauptstadt. Verkehrsknotenpunkt, Universitätsstadt, Messemetropole.
Am Schloßplatz, Ludwigsplatz rund um die (moderne) Staatskanzlei, dem Sitz der saarländischen Ministerpräsidenten, schöne Amtsgebäude, Bauten ehedem fürstlich-nassauischer Regenten und eines genialen Baumeisters.
Sein Name: Friedrich Joachim Stengel.
Titel und Ämter: fürstabtlich fuldischer Ingenieur, Hofarchitekt und Bauinspektor, fürstlich nassauingischer Baudirektor, herzoglich sachsen-gothaischer Rat und Baudirektor, fürstlich-nassau-saarbrückenscher Generalbaudirektor, wirklicher Kammerrat und Forstkammerpräsident.
Er lebte von 1694 bis 1787. Kein Saarländer, aber lange in Diensten des Saarlandes: Ein Saarländer.

*

Am Beispiel SAARLAND lassen sich europäischer Besitzwechsel und territorialer Bezeichnungswandel wie in einem Bilderbuch ablesen: Sandkastenspiele machtpolitischer Interessen mit oft unerbittlichen Regeln und traurigsten Folgen.
Die Revue der Fakten und Daten:

- Stammlande der keltischen Mediomatriker und Treverer von 450 bis 50 vor Christi Geburt
- Römische 'Besatzungszone', gallo-romanisches 'Niemandsland', 'Durchgangslager' für wandernde Völker und einfallende Hunnen bis zum Jahr 451 n. Chr.
- Reichsgaue und Siedlungsräume der Blies- und Saarfranken unter wechselnder Herrschaft der Saargaugrafen von Saarbrücken, Bliesgaugrafen von Kirkel und Hochwaldgrafen von Hunolstein bei zahlreichen Ritterschaften, Gutshäusern und Vogteien nebst Bischofsdomänen, Klosterbesitzungen und Stiftsgütern vom sechsten bis zum zwölften Jahrhundert
- Fürstentum Nassau-Saarbrücken, Kurfürstentum Trier und Herzogtum Lothringen als Feudalherrschaften in/nach wechselseitigen Fehden und Verhandlungen, Erwerbungen und Verkäufen, Heiraten und Raubzügen vom 14. Jahrhundert bis zur Französischen Revolution
- Revolutionsfranzösisches 'Département de la Sarre' unter Napoleon I. seit 1802
- Nach dem Wiener Kongreß (1815) territorialer Flickenteppich im Besitz von Preußen, Oldenburg, Bayern und Sachsen.
- Unter dem Völkerbund als 'Saargebiet' sequesterverwaltet seit 1919
- Zum Gau Westmark 1935 unter dem Hitlerismus dem deutschen Reich zugeschlagen.
- Politisch autonomes, von Frankreich wirtschaftsabhängiges, Deutschland sprach- und kulturverbundenes Saarland unter Johannes Hoffmann ab 1947
- Saarland, jüngstes Bundesland der Bundesrepublik Deutschland seit 1957

Geschichtschreibung: Nächstes und Fernstes, Ältestes und Neuestes heranholen, Gehörtes und Geschautes, Gedachtes und Empfundenes zusammendenken, an nicht wesentlich Gewordnes, Verhindertes zu erinnern, nie zur Sprache Gebrachtes, Verdrängtes vergegenwärtigen.
Geschichte dem Ganzen so wichtig wie Gedächtnis dem Einzelnen.
Gestalten, Probleme herausgegriffen aus dem Wirrsal der Ereignisse, den Spiel der Kräfte und Gewalten:

Fürstin von Reinheim, Blieskeltin im Flußland des mediomatrischen Galliens

Indutiomarus, Trevererfürst auf dem Hunnenring am Hunsrück bei Otzenhausen

Adalgisel Grimo, fränkischer Edelmann und Diakon der römisch-katholischen Kirche zu Tholey am Schaumberg

Fürst Wilhelm Heinrich von Nassau-Saarbrücken, Regent in weiten Teilen des Saarlands

Allesamt bedeutende Persönlichkeiten in bedeutsamen Zeiten, hervorgehoben aus der langen Reihe vieler Männer und Frauen, die ihre Epochen, berühmt oder namenlos, trugen und prägten.
Aus den Quellen historischer Tatsachen gespeist, mit dem Zweifel dessen genährt, wie es wirklich gewesen ist, genährt, von den kraftvollen Erfindungen der Wahrheit (Utopien!) einem Sinn zugeführt, schreibt sich saarländische Geschichte fort. In Zeiten neuerwachten Wertgefühls, aus erzwungener Fremdverwaltung, gewollter Eigenstaatlichkeit erlöst, durch freie Selbstbestimmung ein Land der Bundesrepublik Deutschland.
Sein Name ist Saarland.

*

Zeitberichterstattung, Sohn dieses Landes.
Reden will ich von der Zeit, Chronist sein vom Gestern und Heute. Zeit will ich erzählen, Wirklichkeit für heute und morgen.
Zeitgenossenschaft, Kind dieser Zeit.
Geschichte - Gedächtnis - Erinnerung
Zeitbewußtsein, Geschichtssinn: Schöpfrad an den Quellen der Vergangenheit, Pfeiler in den Strom der Gegenwart, Brückenschlag ins Kommende, Drängende der Zukunft.
Was ist Zeit?
Linien ins Unendliche, Flächen der Ewigkeit, Knotenpunkte und Wendemarken der Geschichte.
Vorgang, Zustand - Fortschritt, Kreislauf!?
Was ist Zeit!
Ein Morgen, ein Mittag, ein Abend in W.
Leben und Tag oder Nacht und Tod.
Liebhaber, Mörder, Diener, Herr.
Mann und Frau, Kind und Greis.
Tage, Jahre, Stunden, Wochen.
Monde, Epochen, Äonen.
Kirschblüte, Sommerlust, Herbstfeuer, Schneefall.
Geburt, Hochzeit, Tod und Begräbnis.
Liebe und Mühsal, Haß und Wollust.
Alte Zeiten vergehen, neue Zeiten kommen herauf.
Dunkle Wolken unterm schweigenden Himmel, Silberstreifen am Horizont.
Morgenrot, Abendrot - Gewittersturm, Regenflut, Hitze über dem Land.
Die Zeit verrinnt, die Zeit steht still.
Anfang und Ende, Untergang und Aufstieg, Wandel und Dauer.
Zeit - unermüdliches Räderwerk.
Der Mensch geflochten aufs Rad der Geschichte, die Speichen drehn sich immerzu, in einem fort die Nabe um die Achse.
So viele Geschicke im Lauf der Zeit, so viele Schicksale über die Erde: Zeitschicksale - Menschenschicksale, Menschenschicksale - Zeitgeschicke.
Des Menschen Tun und Lassen, Taten und Untaten der Welt. Aufbruch und Abenteuer. Ehre und Ruhm. Mord, Brand und Gewalt. List, Lüge und Verrat. Empörung, Abscheu und Trauer.
Zorn über so viel Unrecht, Drangsal und Not. Schweigen über so viel Verbrechen, Armut und Grausamkeit. Trauer über so viel Elend, Leid und Verzweiflung. Fluch auf so viel Anmaßung, Dummheit und Menschenverachtung.
Aber auch Freude am Leben, Lust zum Dasein. Reden und Lachen. Gebet und Gesang. Heiterkeit und Spiel.
Stolz, Würde und Demut. Hoher Mut, Gnade und Opfer. Menschensinn tapfer, edel und treu. Land und Leute im ewigen Wechsel. Allzeit, allerorten.
Eines Menschen Schritt Weg und Dauer im Dasein.
Hier und heute. Der Tag ruft die Stunde. Unausweichlicher Ernst in allem.
Im Antlitz der Erde: Weltgeschichte, Weltgericht.

Notre Histoire

Les origines historiques du développement de la Sarre d'aujourd'hui remontent à l'époque préhistorique. Les témoignages de l'âge de pierre (grand biface du Warndtwald, haches de pierre, raclettes pour vaisselle et pointes de flêches) que garde le Musée de Préhistoire et Protohistoire à Saarbrücken ne sont pas nombreux mais très importants. Pendant la période de La Tène (environ 450 à 50 av. J.-C.) les régions de la Sarre, Blies, Nahe et Moselle étaient habitées par les Celtes. Au sud les 'Mediomatricir' s'étaient établis (capital Metz), au nord les 'Treverir' (lieu central Trèves).
La frontière courait à peu près le long de la vallée du Scheidterbach où se trouve une pierre de bornage, le menhir Spillenstein, près de Rentrisch. (Une autre pierre sacrée, nommée Gollenstein, provenant des temps les plus reculés s'élève près de Blieskastel.) Du temps des 'Mediomatricir' date le tombeau d'une princesse celtique qui se trouve près de Reinheim sur Blies. Ce tombeau contenait des joyaux précieux et objets d'usage courant qui sont sans pareil en Europe: parmi d'autres objets il y avait un collier superbe en or pur dont les bouts portent de fines têtes d'oiseaux en forme de casque.
L'énorme forteresse près de Otzenhausen, dite Hunnenring, était la plus grande de son espèce en Europe. C'était probablement la base principale d'Indutiomarus, prince des 'Treverir', qui l'élargissait et fortifiait au premier siècle avant l'ère chrétienne pendant le combat contre Rome. C'est un rempart gigantesque de pierres de quartz d'une hauteur de 10 mètres, une longueur totale de 2210 mètres et avec des fondements de 30 mètres de large.
Indutiomarus, qui commandait la rébellion des 'Treverir' contre les Romains, tombait dans la Guerre Gauloise en 54 av. J.-C. par la main du commandant de l'armée romaine, Jules César. Après quelques 500 ans de domination romaine sur Moselle, Sarre et Blies la province gallo-romaine (avec son centre puissant Augusta Treverorum, le Trèves de nos jours) périssait dans les troubles de la migration des peuples germaniques et dans les grandes invasions des Huns. Dès 455 après J.-C. la région de la Sarre et Blies fut conquise par les Francs qui (en trois vagues de colonisation entre le VIe et IXe siècle) établirent de nombreux villages et hameaux: Besseringen, Hilbringen, Rehlingen, Beckingen, Dillingen, Völklingen, Güdingen, Bübingen et Fechingen sur la Sarre, Gersheim, Reinheim, Bebelsheim, Wittersheim, Herbitzheim et Webenheim sur la Blies.
Des prédicateurs itinérants, ermites et religieux provenant de l'Irlande et de l'Ecosse évangélisaient la Sarre franque. La première mission documentée fut fondée à Tholey près du Schaumberg. Le diacre Adalgisel, nommé Grimo, léguait l'église, dont il était le propriétaire, à l'évèque de Verdun. Les bénédictins s'installaient à Tholey, Mettlach et Böchweiler, les cisterciens à Wörschweiler, les prémontrés à Wadgassen, les chanoines à Gräfinthal et St. Arnual.
Par suite du contrat de Mersen (870 après J.-C.) le pays (auquel était joint la Lorraine) passait à la Franconie de l'Est sous Louis "l'Allemand".
Par la suite se développaient des comtés sur les territoires de la Sarre sous les comtes de Saarbrücken, Kirkel et Hunolstein. Après une suite de guerres pour la domination et de contestations pour l'hérédité la majeure partie du pays passa pour longtemps en possession de la principauté de Nassau-Saarbrücken, pendant que le reste tomba au pouvoir de la Lorraine et de l'Electorat de Trèves (ensemble avec de nombreux petits domaines seigneuriaux et propriétés de l'Eglise). Le prince Wilhelm Heinrich de Nassau-Saarbrücken (1741-1768), le plus éminent des souverains féodaux, fit élargir le château et la ville de Saarbrücken par son architecte Fr. J. Stengel en une résidence baroque. Il encouragea le commerce et l'industrie, la fabrication de verre et de porcelaine et l'exploitation des mines.
Après la conquête par les forces révolutionnaires françaises les territoires de la Sarre étaient un "Département de la Sarre" pour 12 ans, de 1802 à 1815. Après la chute de Napoléon et la réorganisation de l'Europe par le Congrès de Vienne (1815) la Prusse, la Bavaière, l'Oldenbourg et la Saxe se partageaient la possession et la domination de la Sarre. La construction et l'extension des houillères et de l'industrie sidérurgique étaient surtout encouragées par le Gouvernement Royal Prussien à Berlin. Entre 1919 et 1935 le "Saargebiet", réclamé par la France après la Première Guerre mondiale, fut administré pendant 16 ans par la Société des Nations et retourna au Reich seulement après le référendum en 1935. Après la Deuxième Guerre mondiale la région était sous l'administration militaire de la France jusqu'en 1947 quand Johannes Hoffmann forma le premier gouvernement du Saarland sous sa forme actuelle. L'état de la Sarre était allemand par langue et culture, mais politiquement autonome, alors que son système économique et monétaire était relié à celui de la France.
Après le plébiscite de 1955 le Saarland se joignit à la République Fédérale d'Allemagne comme dixième et dernier Land.
Située à la frontière franco-allemande près de Forbach en Lorraine, la capitale Saarbrücken est le siège du gouvernement et du parlement. Elle a une université ainsi qu'une foire.

Our history

The origins of the historical development of what is nowadays called Saarland go far back into prehistory. There are only a few, but important, finds from the stone age (such as a big hand-axe from the Warndtwald, stone axes, scrapers for vessels and arrowheads) exhibited in the Museum of Prehistory and Early History in Saarbrücken, which give testimony to that early period. During the La Tène period (about 450-50 B.C.) the region along the rivers Saar, Blies, Nahe and Moselle was inhabited by Celts. To the south the Mediomatrici settled down (capital Metz), to the north the Treveri (with Treves as centre). The border presumably ran through the valley of the Scheidterbach as indicates a boundary stone near Rentrisch, the Spillenstein menhir. (There is another prehistoric ritual stone, called Gollenstein, near Blieskastel.) From the time of the Mediomatrici dates the tomb of a celtic princess near Reinheim on the Blies. It contained precious trinkets and utensils, unique in Europe: among other things there was a magnificent necklace of pure gold ending in delicate cap-shaped bird's heads.
The mighty stronghold near Otzenhausen, the so-called Hunnenring, was unparalleled in Europe. Presumably it was the headquarters of Prince Indutiomarus of the Treveri, which he fortified in the first century of our era in his struggle against Rome. This gigantic rampart of quartz stones is 10 metres high, 2,210 metres long and its foundations are 30 metres wide. Indutiomarus, who led the insurrection of the Treveri, was killed by the Roman army-leader Julius Caesar in 54 B.C. during the Gallic War. After about 500 years of Roman rule on Moselle, Saar and Blies the Gallic-Roman province (with the Imperial town of Augusta Treverorum, the modern Treves, as its powerful centre) perished in the turmoil of the great migration of the Germanic peoples and the invasions of the Huns.
After 455 A.D. the Franks (coming in three waves between 500 and 800 A.D.) conquered the country along the rivers Saar and Blies, founding numerous villages and hamlets: Besseringen, Hilbringen, Rehlingen, Beckingen, Dillingen, Völklingen, Güdingen, Bübingen and Fechingen on the Saar; Gersheim, Reinheim, Bebelsheim, Wittersheim, Herbitzheim and Webenheim on the Blies. Irish-Scottish itinerant preachers, hermits and monks came as missionaries to the now Franconian "Saarland". The first documented mission centre was founded in Tholey near the Schaumberg: the deacon Adalgisel, called Grimo, bequeathed his own church to the bishop of Verdun in 634. Benedictine monks settled in Tholey, Mettlach and Böchweiler, Cistercians in Wörschweiler, Premonstratensians in Wadgassen, Canons in Gräfinthal and St. Arnual.
As a result of the agreement of Mersen (870 A.D.) the country (together with Lorraine) came to Eastern Franconia under Ludwig 'the German'. Later counties developed in the Saar region under the counts of Saarbrücken, Kirkel and Hunolstein. After a succession of wars and quarrels over the inheritance the greater part of the country was taken over by Nassau-Saarbrücken and remained in the possession of this principality for a considerable period, whereas the smaller parts (together with many small manors and church properties) went to Lorraine and the electorate of Treves.
Prince Wilhelm Heinrich of Nassau-Saarbrücken (1741-1768), the most prominent feudal ruler, had the castle and town of Saarbrücken enlarged to a baroque seat by his architect Fr. J. Stengel. He fostered trade and commerce, the production of glass and porcelain and the mining industry on the Saar. After it had been conquered by French revolutionary troops, the territory of the Saar remained a "Département de la Sarre" for twelve years, from 1802 to 1815. When the Vienna Congress (1815) reorganized Europe after Napoleon's overthrow, Prussia, Bavaria, Oldenburg and Saxonia shared the possession and rule of the Saarland. The establishment and extension of coal mines and iron-mills was particularly encouraged by the Royal Prussian Government in Berlin.
From 1919 to 1935 the "Saargebiet", claimed by France after World War I, was under the administration of the League of Nations for 16 years and returned to the Reich only after the referendum in 1935. After World War II the Saar came under French military administration until 1947, when Johannes Hoffmann formed the first government of the "Saarland" (the name and shape of which have hitherto been unchanged).
While its language and culture were German, the state of the Saar was politically autonomous and its economic and monetary system were connected with France. After the referendum of 1955 the Saarland joined the Federal Republic of Germany as its tenth and most recent Land. The capital Saarbrücken, situated on the German-French border near the border town of Forbach in Lorraine, is also the seat of Government and Parliament. It has a university and an exhibition centre.

Saarland: Wälder

Saarland: Steine

Saarland: Wasser

Feldweg bei Wochern

Saarschleife

Schloß Berg

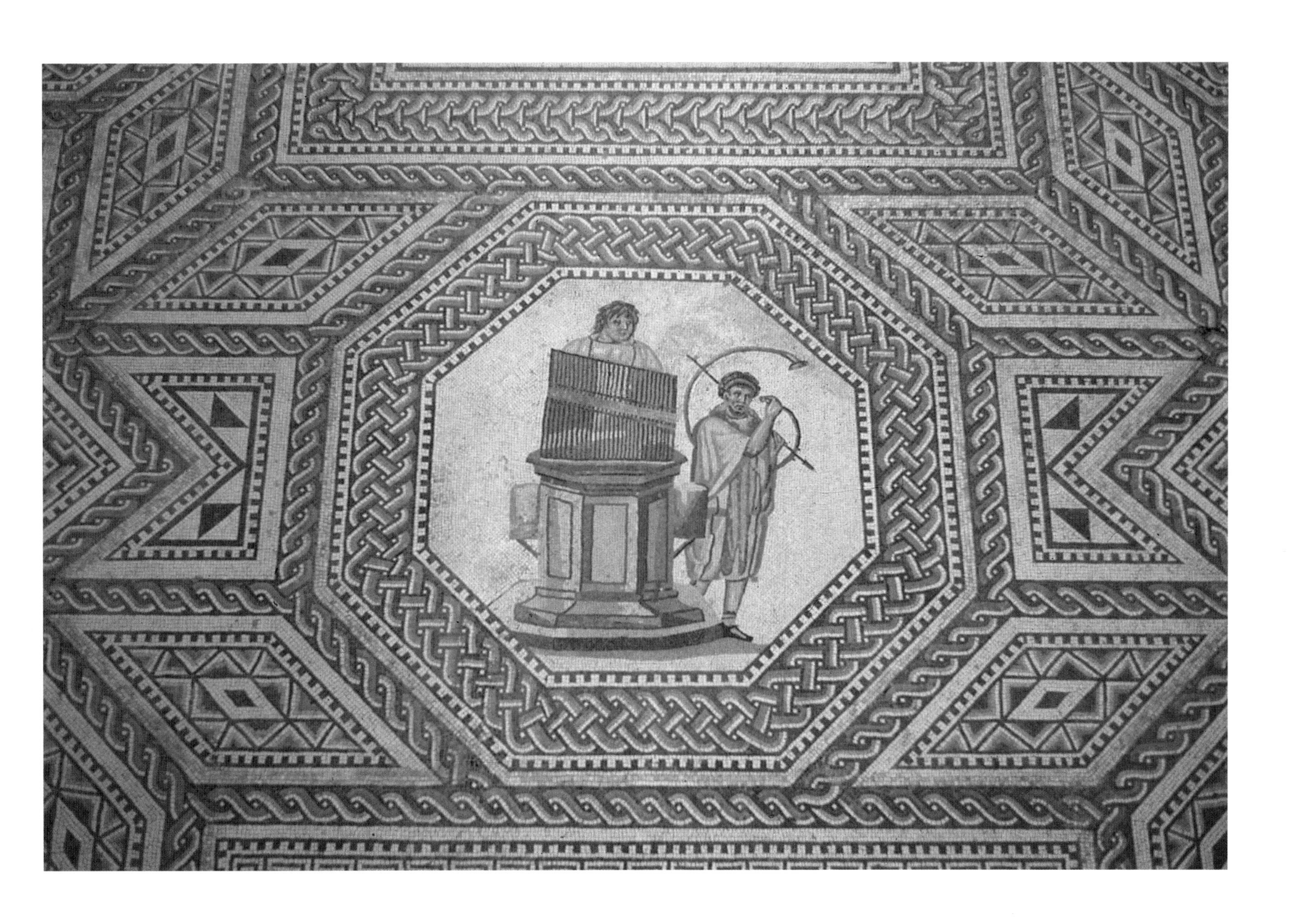

Römisches Mosaik

Schloß Dagstuhl

Mettlach: Alter Turm

Hochwald

Bostalsee

Tholey

Schaumberg

Höckerlinie

St. Wendel: Basilika

St. Wendel: Schloßplatz

Ottweiler: Altstadt

Ottweiler: Schloßplatz

Homburg

Homburg

Römerstadt Schwarzenacker

Klosterruine Wörschweiler

Schäfer im Bliesgau

Blies bei Breitfurt

Pferdestall

Alschbach

Blieskastel

Blieskastel: Orangerie

Bexbach

ICH BIN DAS A UND
DAS Ω BIN DER
ANFANG UND DAS
ENDE ICH WILL DEM
DURSTIGEN GEBEN
VON DEM BRUNNEN
DES LEBENDIGEN
WASSERS UMSONST

Böckweiler

APOTHEKE

Neunkirchen

Gollenstein

Stiefel

St. Ingbert

St. Ingbert

Ormesheim

Völklingen

Güdingen

Saarbrücken
53

Saarbrücken

Ludwigskirche

Rathaus St. Johann

Stadtgalerie

Haus Deutscher Ring

Saarbrücken

Alte Brücke

St. Johanner Markt

Staden

Staden

Völklingen

Fenne

Völklingen

Völklingen

Maybach

Grube Warndt

Köllertal

Saargau

KARLSBERG BIER
Zum Schwaggi
Hannen Alt
SPORT + SPIEL

Ludwigskirche

Saargau

Sinz

Dillinger Hütte

Dillinger Rathaus

Merzig: Stadthaus

Merzig: St. Peter

Mettlach: Alter Turm

Mettlach: Vierturmkirche

Ihn: Bauernhaus

Besch an der Mosel

Wadern: Marktplatz

Losheim: Stausee

Nohfelden, Dagstuhl, Bucherbach, Kerpen

Schloß Münchweiler

Hostenbach: Berghalde

Wahlschied

Theeltal bei Lebach

Eppelborn

Apfelbaum im Bliesgau

Unser Land

Die Welt meiner Jugend, Kindheit ist die Landschaft des Großen Quertals:
ein Flußsystem, das, von Theel und Ill und vielen Zuflüssen, Rinnsalen gespeist, seine Wasser unweit von Lebach, der Stadt am Hoxberg, in die größere Prims ergießt. Der Ort der Herkunft, ein kleines Dorf, am eschenbestandenen Wasserlauf Aschbach gelegen, ehemals lehnsabhängig vom nahen Benediktinerkloster Tholey, heute eingemeindeter Stadtteil von Lebach.
Damals noch ein Bergmannsbauerndorf mit einigen großen Gehöften (Die Wasser trieben vier Mühlen!)
Das Kind hatte immer das Gefühl, im Herzen des Landes zu wohnen, lange bevor der Schuljunge erfuhr, daß Lebach tatsächlich der geographische Mittelpunkt des Saarlands war.
Die Chaussee, die das Straßendorf in seiner ganzen Länge durchlief, eine alte Römerstraße, die von Metz an der Mosel über Lebach an der Theel nach Bingen am Rhein führte: Sie kam aus der Ferne und ging ins Weite.
Das Land der hundert Hügel und Täler, tausend Wälder und Fluren neigt sich bizarr vom Schaumberg, der höchsten Erhebung mit 572 Metern im Osten, zur breiten, sumpfigen Primsniederung im Westen. Die Wasser von Theel und Ill, dem Schaumbergmassiv entsprungen, rinnen in Bögen und Kehren und Wenden der Talebene zu.
Das Quertal, von Hügelbergen zwischen vierhundert und sechshundert Meter Höhe begrenzt, gesäumt, ein flaches Dreieck, das mit der Spitze nach Süden weist:
Im Osten der Schaumberg, im Norden der Höchsten, im Westen der Hoxberg und im Süden die Göttelborner Höhe (weithin der Sendeturm des Saarländischen Rundfunks!)
Eine Parklandschaft – Bergwiesenhänge, von Obstgärten und Ackerfluren durchbrochen, Talauen, von Bachmäandern und Buschwerk durchzogen, und immer wieder die Reviere der Wälder: auf Bergkuppen und Höhenrücken: Tannen, Buchen, Eichen.
Doch überall größere, kleinere Ortschaften, Einzelgehöfte, ein Siedlungsteppich, der an den Ecken des Quertaldreiecks von drei ansehnlichen Marktflecken gehalten wird:
Tholey am Schaumberg mit der frühgotischen Abteikirche St. Mauritius, Illingen mit der Wasserburgruine Kerpen und Lebach, die Garnisons-, Geschäfts- und Schulstadt,
ein Verkehrsknotenpunkt im Zentrum des Saarlands, der die Straßen und Wege sammelt und aussendet in alle Himmelsrichtungen.
Schaumberger Land – Landschaft en miniature, ähnlich und anders den übrigen Gegenden, Sammellinse und Streubüchse des gesamten Gebiets: im Spiegel erkennbar das Ganze: Saarland, unser Land.

*

Nach dem Ende des zweiten Weltkriegs: historische Stunde an der Saar.
Die Saarländer träumten den Traum vom eigenen Staat. Damals umgaben das Saarland drei Nachbarländer: Frankreich, Luxemburg und Deutschland.
Die Arrondierungen des Militärgouvernements unter Gilbert Grandval und der Zivilregierung Johannes Hoffmann, keine machtpolitischen Husarenstreiche, nein, notwendige Kosmetik des staatlichen und topographischen Gesichts.
Sie verbanden Entferntes, ergänzten Zerrissenes, sie machten das Saarland zu einer runden Sache. Eine runde Sache als Möglichkeit zu großer Freude:
Die saarländische Freude wurde nicht von einem ihrer schreibenden Söhne erfunden, sie war da von Anfang an, wie das Licht und die Farbe, wie das Gras und das Grün, wie alle uranfänglichen Dinge.
Die Saarlandkarte – Faustskizze in groben Umrissen – ein verschobenes Quadrat.
Seitenlänge, über den Daumen gepeilt, 50 Kilometer. Das macht, nach Adam Riese, runde 2.500 Quadratkilometer. (Genau gemessen und mit Taschenrechner eher mehr als weniger!)
In diesem Arreal siedeln, ziemlich dicht, ungefähr eine Million Menschen. Damit läßt sich Staat machen! Saarland – letztes und zehntes Bundesland der Republik (1957).
Lage auf dem Globus: Durch Siebenzahl leicht zu merken, so um den 7. Grad östlicher Länge und 49. Grad nördlicher Breite. Und damit in der klimatisch gemäßigten südlicheren Westzone Mitteleuropas (Südwestdeutschland).
Die Einfallstore ins heutige Saarland sind im Norden die Autobahn Trier-Saarbrücken bei Nonnweiler im Hochwald, im Osten die Autobahn Mannheim-Saarbrücken bei Homburg in der Saarpfalz.
Es gibt auch drei große Zubringerstraßen im Westen. Zwei Routen bringen den grenznahen Lothringer über Forbach nach Saarbrücken und über Creutzwald nach Saarlouis, eine Straße den Luxemburger über Remich ins Dreiländereck, ins Weinland der saarländischen Mosel.
Die Bahnverbindungen folgen dem Saarverlauf von der Landeshauptstadt nach Trier, oder führen durchs Sulzbachtal zum Knotenpunkt Neunkirchen, nordöstlich abgezweigt ins Nahegebiet nach Bingen am Rhein und nach Osten geradeaus durch den Blieswestrich über Homburg nach Ludwigshafen am Rhein.
Und über allem: Die Einflugschneisen der "Fliegenden Kisten" zum Saarbrücker Flugplatz bei Ensheim.

*

Landschaften haben eigene Physiognomien, Physiognomien innere Voraussetzungen.
In der Tiefe liefen Entwicklungen ab, wirkten sich Gesetze aus.
Erdgeschichtlich erweist sich das Saarland so vielschichtig, wie es landschaftlich abwechslungsreich erscheint.
Im Zentrum ein Karbongebirge, mächtige Steinkohlenflöze, Schiefertonlager und Sandsteinschichten. Drumherum schlingt sich ein Gürtel von Buntsandstein, an den sich im Süden und Westen Muschelkalk anschließt.
Im Norden, über der Kohle die rotliegende Permschicht, von den vulkanischen Tholeyer Schichten durchbrochen. Ganz im Norden als Abschluß ein gewaltiger Höhenzug, das Rheinische Schiefergebirge.
Landschaftlich, so sagen die Fachleute, so steht's in den Lehrbüchern, hängt das Saarland mit drei geographischen Gebieten zusammen, deren Löwenanteile außerhalb der heutigen Staatsgrenze liegen. Jeder Saarländer weiß es aus der Grundschule:
Das Saarland gehört geographisch und geologisch zum Westpfälzer Bergland, zum Rheinischen Schiefergebirge und zum Lothringischen Hochland. Diese "triadische Mitgift" macht den landschaftlichen Widerspruch des Saarlandes aus, Gegensätze, die, wie auch sonst bei schönen Dingen, Anmut, Liebreiz und Eigenart hervorbringen.
Einheit in der Mannigfaltigkeit:
Das Antlitz einer Landschaft leuchtet in Schönheit auf. Von welcher Seite der Fremde, von welchem Punkt der Einheimische auch immer das Land durchstreift: erwandernd, durchfahrend, überfliegend – der Reisende wird die stillen Waldgebiete und die anmutigen Flußtäler, die hügeligen Landstriche und die flachmuldigen Hochebenen als harmonische Einheiten, mannigfach geordnet, glücklich gegliedert empfinden, genießen.
Unser Land, eine zwar vielfach gebrochene, aber dennoch in sich geschlossene Erlebniseinheit, zeigt auf den ersten Blick geographische Ruhelosigkeit. Wer jedoch näher hinsieht, entdeckt Schönheiten von eigenwilligem Liebreiz, der Einheimische und Fremde gleichermaßen in Erstaunen setzt.
Landschaftliche Gegebenheiten werden augenblicks zu Ereignissen. Hinter jeder bewaldeten Bergkuppe, um jede baumbestandene Flußbiegung lauert eine natürliche Überraschung. Wanderer aus nah und fern, Reisende aus der Umgebung und von weither wissen, wovon sie den Daheimgebliebenen schwärmen.
Saarland – Liebhaber ahnen, Kenner wissen.
Es steckt mehr dahinter als der Name verrät: viel Wasser rinnt und steht. Es gibt Flüsse, Bäche und Rinnsale, Seen, Weiher und Teiche; kunterbunt durchzogen oder gelegen im Bergland, Hügelland, Talland:
Bliesgau, Warndt, Saargau, Köllertaler Wald, Sand, Saartal, Gries, Schaumberger Land, Bohnental, Kirkeler Wald, Haustadter Tal, Saarschleife, St. Wendeler Land.
Das Saarland, ein vom Hunsrück im Norden nach Süden schwach geneigtes, sanftes Hügelland von 350 Metern über dem Meeresspiegel. Es ragen hervor die ursaarländischen Erhebungen Litermont,

Schaumberg, Spiemont und, ins Zentrum gerückt, die Göttelborner Höhe.
Die tatsächlich höchsten Saarberge mit Kuppen um 700 Meter an der Nordlinie, dem Hunsrück, gehören zum Rheinischen Schiefergebirge.
Die Saar und ihre Zuflüsse gruben 150 Meter tiefe Flußbetten mit breiten Talsohlen. Dadurch ist die Saargegend ein vielfach gegliedertes Hügelland!
Drei Hauptflüsse: Saar, Blies und Mosel; sechs Nebenflüsse: Nahe, Prims, Nied, Oster, Bist und Rossel; und zahlreiche Zuflüsse – Bachläufe und Rinnsale – schlingen Bänder durchs Land. Künstlich gestaute Wasser wie Bostalsee, Losheimer Weiher, Primsstausee bei Nonnweiler im nordsaarländischen Hügelland, dazu anmutige Naturteiche bei Jägersburg, Würzbach und im Warndt.

*

Landschaft ist Gesicht, aber zugleich Maske. Landschaft ist Bild, doch auch Schrift.
Der zarte Schleier eigenartiger Täler und Hügel, Bachläufe und Waldsäume im Antlitz seiner Bewohner. Der Gleichmut der Züge im Wiederschein bescheidener Freude: Geschichte und Landschaft an der Saar. Saarländische Lebenslust hat ihren unverwechselbaren Ausdruck gefunden.
Die Bilder der saarländischen Landschaft enthüllen aber auch die Pflugspur geschichtlicher Ereignisse.
Die Realität des Lebens an der Saar war nie eitel Romantik, so wenig und so viel wie an Rhein, Mosel oder anderswo. Der Saarländer bebaute das Land und gründete Städte im Saartal: Saarbrücken, Völklingen, Saarlouis, Dillingen, Merzig und Mettlach.
Jüngere Stadtsiedlungen wie Püttlingen, Lebach, Sulzbach, Friedrichsthal, St. Ingbert und Wadern liegen im Landesinneren. St. Wendel, Ottweiler, Neunkirchen, Bexbach, Homburg und Blieskastel erwuchsen am größten Nebenfluß, der Blies, und geben dem Ganzen Gleichgewicht. Bauerndörfer, Bergmannskolonien, Hüttensiedlungen, Marktflecken, Dörfer und Weiler runden das Siedlungsbild ab.
Naturgebiete wechseln mit geschichtlichen Landschaften. Städte wie Ottweiler oder Blieskastel, zwei ehemalige Adelsresidenzen historische Portraits im Rahmen grüner Flußmäander, im Kern erhalten, unzweideutig und eigenartig durch Mauern und Gräben vom Land geschieden. Die Altstadt von St. Johann in Saarbrücken, aus Bürgerstolz und urbanem Reichtum stattlich erwachsen, oder der Stadtkern einer alten Festung und Garnison wie Saarlouis mit dem Verteidigungsring der Kasematten in feudaler Pracht und aus militärischem Denken entstanden, zeugen von menschlicher Kultur im langen Atem der Geschichte, während hier wie dort neue, meist traurige Vorstädte oder kalte Trabantensiedlungen gesichtslos ins Freie lappen.

Industrieorte an der Eisenhüttenstraße der Saar von Brebach über Burbach und Völklingen bis Dillingen oder Schachtanlagen in Friedrichsthal, Maybach oder Camphausen beispielsweise. Und dann und wann im Land: Aus mißfarbenen oder manchmal schöngefärbten Abwässern, zeiligen Massensiedlungen und wimmelnden Industrieanlagen Landstriche überziehende fettige braune oder überpulvernde trockene weiße Farbe, Turmgestängereihen und riesige Drahtnetze der Überlandleitungen, der ungeheure Antennenwald über den Dächern, eine Zivilisationslandschaft von Häßlichem geprägt – ein hoher Tribut an die Zeit, gegen den Menschen.
Eine Landschaftsschilderung aus dem Jahre 1923 schwärmte noch über die eigentümliche Schönheit der Industrielandschaft:
"Die Kuppen der Vorwärmer der Hochöfen und die Türme der Förderstühle, die Hallen der Walzwerke und die Turmfinger der Kamine, tags blaue Gaswolken darüber und nachts der rote Widerschein der Schmelzen."
Wir Heutigen lesen's mit gemischten Gefühlen, krisenwach und umweltbewußt. An der Saar wie anderswo.

*

Dennoch: Lockendes, Lohnendes, Leuchtendes überall im Land. An vielen Stellen, Orten, Plätzen Merkwürdiges, Bedenkliches, Rätselhaftes. Sehenswürdigkeiten aus Natur und Technik, Wissenswertes aus Geschichte und Landschaft.
Was schon Goethe anzog, noch immer von magischer Kraft: Das Geheimnis eines brennenden Berges. Seit über dreihundert Jahren in über vierhundert Metern Tiefe im tiefsten Dickicht des Waldes bei Dudweiler im Sulzbachtal ein schwelender Kohlenflöz.
Wer am Brandherd steht und staunt, dem wird der Boden unter den Füßen heiß: Rauchwölkchen wabern aus Ritzen und Spalten:
"Wir traten in eine Klamme und fanden uns in der Region des brennenden Berges. Ein starker Schwefelgeruch umzog uns; die eine Seite der Höhle war nahezu glühend, mit rötlichem weißgebranntem Stein bedeckt: ein dicker Dampf stieg aus den Klunsen hervor, und man fühlte die Hitze des Bodens auch durch die starken Sohlen." (Johann Wolfgang Goethe, Dichtung und Wahrheit)
Vom Kohlengebirge zum Buntsandstein: Einzigartige Berghöhlen im Homburger Schloßberg. Es bröselt und rieselt von den Höhlendecken auf die Höhlenböden: Löcher oben, Höcker unten.
Der feine Silbersand, längst weder zum Glasmachen noch Sauberschrubben noch Tintenlöschen gebraucht, häuft sich ununterbrochen im Gewirr der Stollen, Gewölbe und Hallen. Wer's nicht glaubt, lasse sich das Höhlenlabyrinth der unterirdischen Gänge zeigen – in einer Strecke von zwei Kilometern – auf die Gefahr, der "Weißen Frau" zu begegnen (Nebelschwaden dünsten aus dem Sandstein!).
Wanderungen zum imaginären Rokokoschloß "Karlsberg" auf dem Homburger Schloßberg: Der Palast der tausend Möglichkeiten – kaum erdacht, zum Teil gemacht und rasch um allen Glanz gebracht (vor der großen Revolution erbaut, in der Revolutionszeit zerstört!)
Der Barockfürst Karl August von Zweibrücken ein Tausendsassa: Tausend Jagdhunde in herzoglichen Zwingern, tausend Kanarienvögel im maschendrahtumhüllten Naturkäfig einer riesigen Eiche, vermutlich auch tausend Menschen fremder Rassen, die in heimatähnlichen Dörfern des großen Schloßparks "Karlslust" lebten.
Viel Römisches an der Saar: ein römisches Mosaik, ein römisches Bergwerk, eine römische Stadt. In Nennig an der saarländischen Mosel der größte, besterhaltene, schönste Mosaikfußboden einer Römervilla nördlich der Alpen: Gladiatorenspiele und Tierkampfszenen; Musikanten spielen Horn und Wasserorgel.
Am Hansenberg in St. Barbara bei Wallerfangen das Bergwerk des Emilianus, das einzige unveränderte seiner Art im ehemals transalpinen Römerreich: Malachit für die damalige Buntmetallgießerei im Kastell Pachten, Azurit fürs Blau der Farben (Das Saarland besaß schon früh eine eigene Falschmünzerei im römischen Pachten, und Albrecht Dürer liebte und mischte das Wallerfanger Blau!).
In Schwarzenacker bei Homburg eine richtige Römerstadt, freilichtmuseal zu begehen zwei Ortsstraßen mit überdachtem Bürgersteig, Wohn-, Handels- und Gewerbehäuser mit Wasserleitung und Heizungssystem!
Alles mittelmeerisch heiter und echt: gallorömische Mediomatriker, die vor den Säulenkolonaden ihrer schmucken Steinhäuser flanieren, begegnen, wenn er will, dem Heutigen.
Aus der Römerkolonie in die Kolonie von Maybach: die Bergmannsreihenhäuser, Werkswohnungen im schönen Verbund, der Königlich Preußischen Grubendirektion Saarbrücken – ein architektonisches Ensemble von höchstem Reiz. Neben den einfachen Grubenhäusern und kleinen Steigervillen und mittendrin das Schlafhaus und die Kaffeeküche (für Bergleute, die, damals "Hartfüßler" genannt, aus weiten Teilen des Saarlands kamen und dort die Woche über arbeiteten und wohnten!)
Dieses und vieles im Land an der Saar. Andres und mehr füllte Bände. Lockendes, Lohnendes, Leuchtendes überall im Land. An vielen Stellen, Orten, Plätzen Merkwürdiges, Bedenkliches, Rätselhaftes.
Sehenswürdigkeiten aus Natur und Technik, Wissenswertes aus Geschichte und Landschaft: Saarland,
unser Land.

Notre pays

Sur la carte géographique le Saarland a les contours d'un carré irrégulier avec des côtés d'environ 50 km et une superficie approximative de 2.500 km^2. Cela veut dire qu'il y a 400 habitants par kilomètre carré partant d'une population totale d'un million (le chiffre exact est 1.052.800 habitants sur 3.571,17 km^2). Il s'agit donc d'une région avec une dense population. La moitié de la superficie sert à l'usage agricole, un tiers est boisé et le reste sont des zones industrielles et résidentielles et des zones de récréation.
Sa position sur le globe (7 degrés de longitude est et 49 degrés de latitude nord) procure au Saarland un climat modéré au sud-ouest de l'Europe centrale qui est favorisé par la Méditerranée à travers le col de Saverne et la porte de Bourgogne. Il y a deux fleuves principaux - Sarre et Blies - et cinq affluents - Rosselle, Bist, Nied, Prims et Oster. En plus il y a la Moselle à l'ouest (où l'on cultive le vin sarrois de la Moselle), qui forme la frontière avec la France et le Luxembourg, et la Nahe, qui bientôt quitte la région de sa source pour s'écouler vers le nord-est en Rhénanie. Grâce à de nombreux petits ruisseaux et ruisselets la région a de l'eau en abondance et des prairies grasses.
Du point de vue géographique le Saarland fait partie des montagnes du Palatinat de l'Ouest, du Massif schisteux rhénan et du paysage en terrasses de la Lorraine. Parmi les contrées avec un caractère particulier il faut nommer: Saar- et Bliesgau, Schwarzwälder Hochwald, les forêts de Köllertal, Warndt et Kirkel, la vallée de la Sarre avec la grande boucle ("Saarschleife"), Schaumberger Land et St. Wendeler Land, Gries et Sand, la vallée de Haustadt et Bohnental.
Dans l'ensemble c'est un pays doucement valloné et légèrement penché du Hunsrück au nord vers le triangle de Sarre et Blies au sud. L'altitude moyenne est de 350 m au-dessus du niveau de la mer. Tandis que les plus hauts monts, comme Weiskircher Höhe qui a une hauteur de 700 m environ, sont situés aux confins septentrionaux et font partie du Massif schisteux rhénan du Hunsrück, les élévations centrales d'une chaîne volcanique, comme Litermont, Schaumberg, Spiemont et Göttelborner Höhe, surmontent et dominent le 'pays cahoteux'.
Du point de vue géologique le Saarland - quoique petit - est varié et intéressant. Au centre il y a une montagne carbonique avec d'épaisses veines de houille, des couches d'argile schisteuse et des strates de grès. Elle est entourée d'une zone de grès bigarré suivie de calcaire conchylien au sud et à l'ouest. Au centre nord la houille est couverte d'une couche rouge permienne percée des couches volcaniques de Tholey. Une énorme chaine de montagne, le Hunsrück, qui appartient au Massif schisteux rhénan, constitue les confins septentrionaux.
L'héritage géologique en profondeur est la cause de la diversité du paysage à la surface. Ce sont tout juste les contrastes qui - comme toujours avec les beaux objets - font le charme particulier de ce paysage. La diversité géographique procure des impressions changeantes et pourtant homogènes. Les voyageurs aussi bien que les gens du pays qui parcourent la région - à pied, en voiture, en avion - prennent plaisir aux forêts tranquilles, vallées riantes et prairies pittoresques des rivières, contrées, vallonées, plateaux en auge et à des contrées ressemblant à des parcs bizarres. Derrière beaucoup de sommets boisés et tournants de ruisseaux bordés d'arbres des surprises "naturelles" attendent le voyageur. Au nord du Saarland dans les contreforts du Hunsrück il y a trois grands réservoirs qui augmentent les attraits du "Saarrevier", qui est riche en eau mais sans lacs naturels, pour ceux qui cherchent du repos.
Ces trois réservoirs sont: Losheimer Weiher, Bostalsee et Nonnweiler Stausee. En outre il y a de plaisants étangs naturels près de Jägersburg, Würzbach et au Warndt et d'innombrables grands et petits viviers partout dans le pays.
Mais la région de la Sarre porte aussi les traces de l'intervention culturelle de l'homme et des événements historiques. Les villes et villages forment l'aspect du pays. La ronde des villes est menée par la capitale Saarbrücken (l'ancienne résidence des princes de Nassau qui a aujourd'hui 100.000 habitants environ). Située à la frontière et entourée de forêts elle est le siège de l'administration du pays, d'une université et d'une foire. Elle est suivie par Völklingen, Saarlouis (la forteresse construite par Vauban sous Louis XIV), Dillingen, Merzig et Mettlach (près de la pittoresque "Saarschleife", le symbol du Saarland), St. Wendel (lieu de pèlerinage à St. Wendalinus), Ottweiler (petite résidence princière), Neunkirchen, Bexbach, Homburg et Blieskastel (résidence baroque des comtes von der Leyen) sur la Blies. Les villes plus récemment construites comme Lebach, Sulzbach, Püttlingen, Friedrichsthal, St. Ingbert et Wadern sont situées au centre du pays et donnent à l'ensemble un équilibre harmonieux ensemble avec beaucoup de villages, corons, bourgades et hameaux, habités par fonctionnaires, ouvriers et employés.

Our country

If you look at the map the outlines of the Saarland form an irregular square. Its length is about 50 km and its area amounts to roughly 2500 sq km. This means that there are 400 people to the square kilometer on the basis of a total population of 1 million (there are exactly 1,052,800 inhabitants on 3,571.16 sq km).Half of this densely populated area serves agricultural purposes, one third is wooded and the remaining 20 % is industrial sites as well as residential and leisure areas.
Its position on the globe (7 degrees east and 49 degrees north) procures the Saarland a moderate climate in the southwest of Central Europe, favourably influenced by the Mediterranean via the Saverne Gap and the Belford Gap. There are two main rivers - Saar and Blies - and five tributaries - Rossel, Bist, Nied, Prims and Oster. To the west there are the Moselle (where the Saar Moselle wine is cultivated), which forms the border with France and Luxemburg, and the Nae, which soon leaves its headwaters and flows in northeastern direction to the Rhineland. Thanks to numerous small streams and streamlets the region is rich in water and deep green pastures. Geographically the Saarland is part of the West Palatinate Mountains, the Rhenish Slate Mountains and the accident tabeland of Lorraine Some parts are worth mentioning because of their particular features: Saarland, Bliesgau, Schwarzwälder Hochwald, Köllertaler Wald, Warndtwald and Kirkeler Wald:
the valley of the Saar with its great horseshoe curve ("Saarschleife"), Schaumberger Land and St. Wendeler Land, Gries and Sand, Haustadter Tal and Bohnental. The landscape on the whole is soft and hilly with an average height of 350 m above sea-level, slightly slanting from the "Hunsrück" in the north to the triangle of Saar and Blies in the south. While the highest mountains, such as Weiskircher Höhe with about 700 m, are situated on the northern border and belong to the Rhenish Slate Mountains of the "Hunsrück", the peaks of a volcanic ridge in the centre of the Saarland, such as Litermont, Schaumberg, Spiemont and Göttelborner Höhe, overtop and dominate the 'hump-backed land'.
From a geological point of view the Saarland - though small - is varied and interesting. In the centre there is a carboaceous mountain with thick coal-seams, slate clay layers and sandstone strata. It is surrounded by a zone of new-red sandstone joined by fossiliferous chalk in the south and west. In the central north the coal is covered by a red sedimentary Permian layer pierced by the volcanic layers of Tholey. The border is marked by a massive mountain range, the "Hunsrück", which belongs to the Rhenish Slate Mountains.
The geological inheritance under the surface accounts for the contrasting scenery of the Saarland on the surface. As with other beautiful things, it is precisely this contrast that causes the landscape to be so full of charm. The geographical variety provides multifaceted impressions which nevertheless combine to make a whole. Strangers as well as local people who roam the country - wandering, driving, flying - experience and enjoy quiet forests, charming river valleys and picturesque river meadows, hilly regions, plateaus with shallow depressions and bizarre parklands. Behind many a wooded hilltop and many a stream bend lined with trees "nature" has prepared a surprise for the wanderer. Three huge dams in the foothills of the "Hunsrück" make eventful holidays more possible in the "Saarrevier", which is rich in water but not provided with natural lakes. These dams are Losheimer Weiher, Bostalsee and Nonnweiler Stausee. There are pleasant natural ponds near Jägersburg, Würzbach, in the Warndt and small and large fishponds all over the country.
However, the landscape of the Saarland also bears the traces of the cultural interference of man and of historical events. Towns and villages have helped mould the country's face. The round of cities is led off by the capital Saarbrücken (the former seat of the princes of Nassau with now about 100,000 inhabitants). It is situated on the border and surrounded by forests, has a university and an exhibition centre, and is the seat of the country's administration. It is followed by Völklingen, Saarlouis (the Vauban forteresse of Louis XIV), Merzig and Mettlach (not far from the picturesque "Saarschleife", the landmark of the Saarland); St. Wendel (place of pilgrimage to St. Wendalinus), Ottweiler (small seat of the Nassau princes), Neunkirchen, Bexbach, Homburg and Blieskastel (baroque seat of the counts von der Leyen) on the Blies. The newer towns like Lebach, Sulzbach, Püttlingen, Friedrichsthal, St. Ingbert and Wadern are situated in the centre. Together with many villages, miners' settlements and housing estates of the steelworks, small market towns and hamlets, inhabited by officials, workers and employees, they give balance and finish to the whole.

Wir Saarländer

"Der Saarländer ist im allgemeinen von mittlerer Größe, seine Augen sind meist blau, grau und graubraun, sein Haar meist blond oder brünet. Das saarländische Volk ist geistig regsam, gern aufgelegt zu witzigen Erzählungen, zu humorvollen Schwänken, aber auch zu gutmütigem, ja scharfem Spott. Seine Reden sind voller bildlicher, manchmal sogar derber Ausdrücke.
Lebhaft begleitet der Saarländer seine Worte mit schnellen, heftigen Bewegungen. Er liebt gesellige Zusammenkünfte mit Gleichgesinnten und trinkt gerne seinen Schoppen. Dem Fremden steht er zunächst abwartend gegenüber. Noch heute unterscheidet der alteingesessene Saarbrücker zwischen Alten Hiesigen, Hiesigen und Hergeloffenen. Hat der Saarländer aber den Zugezogenen als einen Menschen kennengelernt, der die saarländische Eigenart achtet, sich an den oftmals derben, aber gutgemeinten Unterhaltungston gewöhnt hat, so ist er immer bereit, mit ihm zusammen zu arbeiten und auch mit ihm Geselligkeit zu pflegen."
(Wilhelm Martin, Land und Leute an der Saar, Saarlouis 1922)
Da haben wir's! Selbstportrait viel mit Liebe al fresco gemalt – wenn schon.
Etiketten auf Menschen, gesellschaftskundliche Abziehbilder aus Vorurteil, Mitgefühl und Nachgeschmack, haben immer einen Hauch von herzlich Verleumderischem. Sie rühren oft von Fremden her, vom flüchtig Durchreisenden, unfreiwillig Festgehaltenen. Dennoch: wo immer Landsleute (daheim und anderswo) zusammensitzen, das Streitspiel um Eigenart und Lebensweise nimmt früher oder später seinen Lauf. An der Saar und andernorts. Und woher kommen uns Saarländern diese häßlich-schönen Merkmale, von wem stammen die schlecht-guten Eigenschaften?
Gehen wir in Dichters Lande! Was der großen Völkermühle Rheinland recht ist, soll der kleinen Kelter Europas, dem Saarland, billig sein:
"Und jetzt stellen Sie sich doch mal Ihre Ahnenreihe vor – seit Christi Geburt. Da war ein römischer Feldhauptmann, ein schwarzer Kerl, braun wie 'ne reife Olive, der hat einem blonden Mädchen Latein beigebracht. Und dann kam ein jüdischer Gewürzhändler in die Familie, das war ein ernster Mensch, der ist noch vor der Heirat Christ geworden, und hat die katholische Haustradition begründet. Und dann kam ein griechischer Arzt dazu, oder ein keltischer Legionär, ein Graubündener Landsknecht, ein schwedischer Reiter, ein Soldat Napoleons, ein desertierter Kosak, ein Schwarzwälder Flößer, ein wandernder Müllersbursch aus dem Elsaß, ein Pandur, ein Offizier aus Wien, ein französischer Schauspieler, ein böhmischer Musikant".
(Carl Zuckmayer, Des Teufels General)
Ja, so muß es gewesen sein: Auf diese schöne Weise entstand die saarländische Freude, kam das glückliche Naturell des Saarländers zustande (Woran der Einheimische leidet, worüber der Auswärtige sich freut!)
Halten wir über die Entwicklung zum Saartypischen fest: Grundgelegt in keltischen Wurzeln, eingeschossen in den Stamm den römischen Saft, aufgepfropft das fränkische Reis –
fertig ist die Baumfrische des Saarländers.
Der Saarländer Mischling gallo-fränkischer Abstammung: ein Menschenschlag, der so rein nicht sein kann wie Friesen oder Bayern.
Denn an der Saar lebte, liebte und litt, wohnte, arbeitete und kämpfte durch zwei Jahrtausende zu viel verschieden Volk. Familien, Sippen und Völkerstämme vermischten sich hier im Grenzland, vereinigt wie Wasser aus Quellen und Bächen, damit sie zu einem lebendigen Fluß zusamenrinnen. Sie alle sind fröhlich und traurig gewesen und krank geworden; haben gesungen, gebetet, geflucht; standen mit beiden Beinen fest auf dem Boden, packten das Leben an und liegen begraben in stiller saarländischer Erde.
Wohin man sieht, hört, faßt, schnuppert: Lothringisches, Rheinisches, Moselländisches, Pfälzisches, Preußisches und Burgundisches in Keller, Kammer und Küche, in Meinung, Mode und Machart. Der Saarländer nimmt und übernimmt (manchmal sich selber!) gibt und übergibt (manchmal sich selber!)

*

Das Saarland, weder historisch noch geographisch eine Einheit, ist ein geistiger Raum, der Saarländer eine gedachte Größe. Er wurde auf eine verblüffende Weise kein

gängiger Deutscher: Denn der Saarländer flieht weder Welt noch Wirklichkeit noch Gesellschaft. Er meidet die Flucht in die eigene Einsamkeit, den kurzgeschlossenen Kreis und den sektiererischen Zirkel. Originalität um jeden Preis liegt ihm nicht, und gar das Abhauen ins Losgelöste, Nichtverknüpfte und Unverbindliche haßt er wie kein Zweiter.
Binden und Verbinden sind des Saarländers Sache, Aufheben und Bewahren ist im Saarland der Brauch. Der Saarländer ist der geborene konservative Revoluzzer, auf jeden Fall ein progressiver Erhalter. Er ist einer, der die Elemente integriert und sie in übergreifenden Synthesen aufhebt. Dadurch sind die Leute von der Saar mehr nach der österreichischen Art: sie neigen zum Vermählen, überhaupt zu Gastmählern und Mahlzeiten, zu Heirat und Hochzeit. Trotzdem fehlen dem Saarland im Gegensatz zum glücklichen Österreich die großen konservativen Führer.
Denn das Saarland ist eine Kleinkunstbühne, auf der die Liebenswürdigkeit Purzelbaum schlägt, die Anmut bescheidener Komparse ist und die Hauptdarsteller ohnehin von außen kommen, aus der Ferne, aus dem Reich.
Schlitzohren in der Kunst angepaßter Verweigerung, sind die Saarländer ganz bestimmt Meister des Überlebenstrainings, bauernschlaue Harlekine mit einem liebenswürdigen Hang zu gutnachbarlicher Widersprüchlichkeit. Auf jeden Fall Maxime saarländischen Handelns: Sich annähern, ähnlich sein und – in Gegensatz treten.
Drei in eins: die Lastertugend aller Grenzländer.
Grenzbewohner sein bedeutet was anderes als Binnenländer sein. Grenzländer sind Grenzgänger, Wanderer zwischen mindestens zwei Welten. Geborene Schauspieler, Bühnenleute: Vorhang auf!
Der Saarländer ist ein Komödiant, und wenn es sein muß – ein bunter Hund.
Aber sein Maskenspiel ist etwas anderes als Verstellung, Mimikry aus Angst vor der Gefahr. Es ist die spitzbübische List auf Lebenslust und Lebenskunst.
Der benachbarte Lothringer war des Narrenspiels auf der Bühne der deutsch-französischen Geschichte stets enthoben.
Er galt als Streitobjekt erster Ordnung.
Das Saarland war immer Zankapfel aus zweiter Hand: Mummenschanz wird dann oberste und unterste Bürgerpflicht, Maskerade für alle.

*

Im Gegensatz zu Elsaß-Lothringen, an der Nahtstelle zwischen Deutschland und Frankreich, wo man zwei Sprachen redete oder verstand, ist der Saarländer einsprachig.
Ungeachtet der Meinung der im fernen Deutschland wohnenden Landsleute, die sich heute begeistert darüber wundern, daß ein "Saarfranzose" so gut Deutsch spricht.
Aber er redet es mit zweifach gestimmtem Zungenschlag:
Im Norden moselfränkisch, rheinfränkisch im Süden.
Im rauhkehligen Singsang, das R rollend, die "Nordlichter" des Saarlandes, auf schöne Art wortkarg herzlich, im Feiern jedoch unbändig und ausgelassen; in singsangiger Wohlkehligkeit die "Südstaatler", auf ebenso schöne Weise gebärdenreich fröhlich, redselige Menschen im Alltag, bei Festen aber gehalten und lustig.
(Erkennungsmelodisches Aussprachemerkmal aller Mosel- und Saarfranken:
Entweder ausnahmslos 'ch' wie 'sch' gesprochen oder beide hartnäckig verwechselnd; verräterische Eigentümlichkeit saarländischen Satzbaus zum Beispiel: Das Vorziehen der Modalverben (wollen, sollen, können, mögen, müssen, dürfen) "Das hätten wir Saarländer nicht sollen machen" statt "Das hätten wir nicht machen sollen")
So hat sich das Deutsch des Saarländers vom hohen Mittelalter her erhalten, durch Wirrsale neuzeitlicher Spracheinflüsse herübergerettet und bis in die Redepraxis dieses Jahrhunderts hinein im Dialekt gefestigt, und so ist's in Stadt und Land (man höre und staune!) noch heute.
Überhaupt neigt die saarländische Mund-Art zu marginaler Rede. Ohne Unterschied und wie Ihnen der Schnabel gewachsen ist.
Rheinfranken und Moselfranken sprechen beiseite, in Randbemerkungen, eine Kunst, die Zunge zu bewegen und etwas über die Lippen zu bringen, die der Einheimische meisterhaft beherrscht und dem Fremden schwer zu schaffen macht. Der Saarländer – wenn er spricht! – stellt das Belanglosere, Unbedeutende in das Zentrum seiner Monologe, die auch er (wie andere Deutsche!) Gespräche nennt. Er gibt gern und ausführlich Antwort, die Obszönität des Fragens ist ihm ein Greuel. Manche haben von der natürlichen Geistigkeit der Saarländer gesprochen: sie liebten es, an Fragen vorbeizuantworten.
Der saraviensische Dialekt – saarländisches Platt – muß, wie jede Sprache mit eigenem Wortschatz, besonderem Satzbau, gelernt werden:
Durch Auslandsaufenthalte vor Ort – an der Saar, an der Blies, an der Prims – in Auersmacher, in Einöd, in Büschfeld – am Tresen, am Förderband, an der Saaruniversität (wo fast alle studierenden Saarländer studieren und abends heimfahren – nach Auersmacher, nach Einöd, nach Büschfeld!)
Wer Saarlandismen (wie zum Beispiel Dibbelabbes, Hoorische, Lioner, Viez, Lulaatsch, Faasebootz, Geheischnis, Meijen usw.) versteht, kennt die Heimlichkeiten, Abgefeimtheiten, Unwägbarkeiten, die Kosenamen und Schimpfwörter, die fast jiddischen Kalauer und grenzüberschreitenden Redensarten der Saarländer.

*

Einmal und von einem Teil als Lumpenpack bezeichnet, ein andermal und von anderen Teilen mit Orden und Lob ausgestattet, trägt der Saarländer Kostüm, Maske und Kothurn.
Doch gibt er keine öffentlichen Szenen, er macht sein Theater auf häuslichen Bühnen – auf der Grillparty im Garten, beim Stadtfest in der Fußgängerzone oder in der Kneipe ums Eck. Dabei macht er keine Ausflüchte oder Vorbehalte, wenn er Gäste hat, die er sich selbst einlädt, aber er freut sich auch über jeden, der ungeladen auf dem Fest erscheint, das von Mal zu Mal größer und schöner wird.
Ein Kuriosum ersten Ranges: Die saarländische Art der Lebensfreude, Hoch-Zeiten der Daseinslust, findet jenseits der Grenze statt.
Denn die höchste gastronomische Erhebung von Saarbrücken liegt in Frankreich.
Auf der "Côte de Spicheren", den Spicherer Höhen, 341 Meter über dem Meeresspiegel, im Restaurant WOLL trifft sich Bohème und Schickeria (Politiker, Künstler, Kaufleute und sonstige) im letzten Gasthaus altsaarländischen Stils. Bei 'Côte du Rhone', 'L'ami Fritz' und allerlei Kulinarischem und viel Gespräch: Völkerverständigung konkret zwischen Deutschen und Franzosen.
Das Naturell des Saarländers, eine von Religion, Landschaft und Geschichte geprägte Empfindlichkeit: romantischer Seelenteppich, fast tibetanisch, mit zartgetönten, feingewebten Ornamenten. Aufschrei, Exstase und lauter Protest, schien nie die saarländische Sache.
Deutschland deine Schwaben, deine Bayern, deine Friesen, seine Sachsen und so weiter: Parade glänzender Geister, Liste berühmter Namen, Chronik großer Taten (aber auch viel Irrsinn, Irrtum, Irrweg!)
Deutschland deine Saarländer!? Nie gehört.
Dennoch zur Ehrenrettung (und zum Weitersagen):
Zwei "Feldherren" brachte das Saarland hervor: einen napoleonischen Marschall, Michel Ney, der, in der Vauban-Festung Saarlouis geboren, 1815 wegen Hochverrats erschossen, unrühmlich endete, und den General Paul von Lettow-Vorbeck aus Wallerfangen, der, Kommandeur der deutschen Schutztruppe in den ostafrikanischen Kolonien, 1920 wegen Putschbeteiligung wenig ehrenvoll aus der Reichswehr schied.
Zwei "Kirchenführer" Söhne des Saarlands: Der eine Bischof von Trier, Matthias Wehr, (1892-1967) stammte aus Faha im Saargau, der andere Kardinal, Purpurträger der römischen Kirche, Erzbischof von München, Joseph Wendel, (1901-1960) kam aus der Barockresidenz Blieskastel.
Drei Staatsoberhäupter direkte oder indirekte Saarländer:
Die Vorfahren des 34. Präsidenten der USA, Dwight Eisenhower, Potaschbrenner zu Karlsbrunn im Warndt.
Müller, Bürger, Edelmann, die Karriere einer Familie, die Sitz und Arbeit hatte auf der Wadsacker Mühle bei Niederbexbach, gipfelt im Amt des 6. Präsidenten der Bundesrepublik

Deutschland, Richard von Weizsäcker – und schließlich, aber nicht zuletzt ein geborener, gestandener Saarländer, Erich Honecker, Staatsratsvorsitzender der Deutschen Demokratischen Republik aus Wiebelskirchen an der Blies.
(Noch eine Delikatesse feinsten politischen Fingerspitzengefühls, konkret und hausgemacht aus leidvoll saarländischer Erfahrung, wo man leicht zwischen die Stühle geriet und verschaukelt wurde in geschichtlichen Machtspielen: Manch ein 'Reichsdeutscher' kam in rheinpreußischen, pfalzbayrischen, völkerbündischen oder gauwestmärkischen Zeiten als Regierungspräsident, Polizeikommissar, Landrat, Bürgermeister, Richter (und leider auch Gauleiter) aus allen Ecken und Enden Deutschlands ins 'Saargebiet'.
Die Ministerpräsidenten des Saarlandes aber, eigenständiges Staatsgebilde nach dem Zweiten Weltkrieg (1947-1957), rückgegliedertes Bundesland (seit 1957), waren allesamt Saarländer:
Johannes Hoffmann, Heinrich Welsch, Hubert Ney, Egon Reinert, Franz Josef Röder, Werner Zeyer, Oskar Lafontaine.).
Kirchen- und Weltpolitik, die von der Saar ihren Ausgang nahm, aber auch Kultur, geistiges Leben und schöne Künste:
Elisabeth von Nassau-Saarbrücken (1390-1456), eine lothringische Prinzessin, die bei nächtlicher Übersetzung französischer Versromane ins Deutsche auf Wasserschloß Bucherbach im Köllertal die quakenden Frösche von rutenschlagenden Bauern am Burgweiher vertreiben ließ. (So übersetzte sie das 'galante' Volksbuch Huge Scheppel: "Ist wohl in der Buhlschaft große Torheit, so ist aber große Freude und Wollust da inne").
Theodor Höck (1573-1658) aus Limbach bei Homburg – laut Schülerverzeichnis des pfälzischen Gymnasiums Hornbach Theobaldus Hock Limbaccensis – ein in Prag geadelter Karrierist, in Böhmen verschollen, Verfasser barocker Gedichte im "Schönen Blumenfeld".
Gustav Regler (1898-1963), politischer Emigrant und 'enfant terrible' seiner Heimatstadt Merzig ("Das Ohr des Malchus").
Johannes Kirschweng (1900-1951), saarländischer Heimatdichter, der den "Trost der Dinge" beschwor und Alfred Petto (1902-1958): "Und die Erde gibt das Brot".
Dazu die jüngeren, lebenden Saarautoren Ludwig Harig (geb. 1927 in Sulzbach am Sulzbach): "Die saarländische Freude, Ein Lesebuch über die gute Art zu leben und zu denken" und Alfred Gulden (geb. 1944 in Roden bei Saarlouis):
"In Roden do is alles Moden, do danzen de Doden off de Kommoden".
Ins Bild berühmter saarländischer Künstler gebracht je einen Musiker und einen Maler: Jakob Philipp Riotte (1776-1856), geehrter, geachteter Komponist und Zeitgenosse der Wiener Klassik um Mozart, Beethoven, Schubert, ein Sohn St. Wendels.
Albert Weisgerber (1878-1915) aus St. Ingbert, ein Maler des deutschen Expressionismus, der später in München lebte und arbeitete.
Und Peter Wust, (1844-1940), der Siebmachersohn aus Rissenthal im Haustadter Land, ein moderner Philosoph, der die menschliche Existenz aus den Nöten der Geschichte besann und in schwerer Zeit mutige Rede gegen tyrannische Herrschaft wagte.
Neben den Söhnen der Saar die Töchter des Landes, an die Seite gestellt der schreibenden Fürstin aus dem Hause Lothringen das Saarbrücker Bürgermädchen Katharina Weisgerber, 'Schultze Kathrin' genannt, das im Deutsch-Französischen Krieg 1870/71 auf beiden Seiten den verwundeten, sterbenden Soldaten Trost sagte, Hilfe brachte – zwei Repräsentantinnen saarländischer Tugenden: Kulturelle Verbindung und nationale Aussöhnung zwischen Deutschland und Frankreich, zwei Europäische Attribute.

*

Gemeinsames Schicksal, gemeinsame Anstrengungen, Mühen und Freuden schaffen schnell ein Gefühl der Zusammengehörigkeit zwischen den Menschen. Die Saarländer hat solch gemeinsames Geschick zusammengeführt, so daß kaum einer noch bedenkt, daß man hier vor einem halben Jahrhundert noch 'Preuße' oder 'Bayer' oder gar 'Oldenburger' gewesen ist.
Zuviel politischer Wandel hat sich seitdem ereignet, und aus diesem vielfältigen Wechsel ist das Saarland hervorgegangen.
Ein solches Land kann kein abgeschlossenes Gebiet sein, auch wenn es in sich ausgewogen ist. Am einfachsten erkennen wir dies, indem wir etwa die geschichtlichen Verknüpfungen beobachten und sehen, wie immer wieder die politischen Zentren des Umkreises in dies Land wirken: Kurtrier, Lothringen, die Pfalz, Berlin und Paris. (Martin Klewitz, Das Saarland, 1982).
Das ergibt – zwangsläufig, folgerichtig, überzeugend: "Ich bin ich und mein Umstand" (Ortega y Gasset) als gelebte Parole des Saarländers. Die Umstände seiner politischen Kultur, die aus der Zwischenrandlage des Saarlandes erwuchsen, machten den Grenzländer zum leidenschaftlichen Europäer.
Das saarländische: Vorwärts nach Europa! hatte allerdings nie ein EG-Wirtschaftsgebilde im Blick, sondern eine einheitlich geistige Landschaft. Hazardspielerische Utopien überließ die Saar den Blauäugigen und Leuten andrer Couleurs. Wir Saarländer wollen's konkret, praktisch, direkt – ohne Wenn und Aber in die richtige Richtung:
Europa, hüben und drüben, grenzlos und gutnachbarlich.
"Die Saarländer leben uns vor, wie man gleichzeitig ein guter Saarländer, ein guter Deutscher, ein guter Europäer und ein guter Nachbar sein kann".
(Bundespräsident Richard von Weizsäcker, 1984.)

Typisch Saarländisch
oder von der guten Art, anders zu leben

Saarländer, Landsleute, Genossen,
was auch immer geschah, Schwamm drüber!
Wer was auf dem Kerbholz hat,
stehl' sich in die Kreide.
Bei uns schreit kein Fleck an der Wand,
vom Teufel dem Doktor Luther geworfen;
in die Saar wird mit roter Tinte gekleckst.
Seht die Leuchtschrift auf der Mauer,
auf der Lauer, nachtgespritzt.
Gezählt, gewogen und zu schwarz befunden.
Ihr Wortlaut in Saarstahl gegossen:
Arbeitslos und Nie wieder Krieg.
Ab in die Alternative, bitte weitergehn.
Schreibs in den Schornstein.
Mach dir nichts draus, Natascha.
Aus Kanälen dringt's vom Berge,
und in Wellen schlägt's durchs Land.
Eine Zeitung für alle.
Der Marktschrei süffelt sich satt,
gierige Nascher von Nachrichten,
Zeitraffer aus Ungeduld.
Saarländer, Landsleute, Genossen,
wir lassen uns den Reibekuchen
und das Zwickelbier nicht nehmen!
Kein Krug geht zu Bruch
in St. Johann am Brunnen.
Hand aufs Hemd, Finger in die Wunde,
Schwamm drüber, was auch geschieht.
An der Saar steht niemand in der Kreide;
das Kerbholz verschwand in der Staatskanzlei.
Fürst Wilhelm Heinrich läßt grüßen.
Wolken über Stadt und Land.
Saarländer, Landsleute, Genossen,
Schirme her für den nächsten Nassauer!

Nous les Sarrois

Savoir-vivre, joie de vivre, aimer la compagnie et le divertissement, causer et chanter en choeur, attachement au terroir et pesanteur du langage (en langue écrite comme en dialecte), saucisse "Lyoner" et "Reibekuchen" croustillant (crêpe de pommes de terre crues râpées), bières sarroises et vins français, "Gauwhisky" (eau de vie de fruit du Saargau) et Viez (cidre de Merzig), opulence et exubérance dans la juste mesure: tout cela est considéré comme typiquement sarrois. Ces stéréotypes composés de préjudice et cliché, ces autoportraits dessinés par des Sarrois pour des Sarrois sont justes et faux en même temps. Le trait de plume et la teinte touchent le fin fond de la chose et se fondent vers les bords.
La réalité semble être ainsi:
Le Sarrois est le produit d'un croisement des Gaules et des Francs, c'est une race d'homme qui ne peut pas être aussi pure que les Frisons ou les Bavarois. Car au cours des derniers 2000 ans il y avait trop de peuples qui vivaient et travaillaient à Sarre et Blies. D'innombrables familles, parentés et tribus se sont mélangées dans cette région frontière et se sont réunies comme l'eau des sources et ruisseaux se réunit dans une rivière vivante. Quoi que l'on voie ou entende: partout dans les celliers et cuisines, les opinions et modes des Sarrois on trouve des influences de la Lorraine, de la Rhénanie, de la Moselle, du Palatinat, de la Prusse et de la Bourgogne.
A l'encontre de son voisin lorrain, qui parle ou du moins comprend deux langues - l'allemand et le français -, le Sarrois est monolingue et il parle en deux dialectes différents. Au nord c'est le franc de la Moselle, au sud le franc du Rhin. Les gens du nord parlent d'un dur ton chantant, ils roulent la 'r' à la pointe de la langue et sont agréablement taciturnes et cordiaux. Ce sont des gens silencieux au travail mais turbulents et exubérants quand ils font fête. Les gens du sud de leur part parlent plutôt d'une manière mélodieuse et ils sont pleins d'une vivacité joviale. Loquaces dans la vie quotidienne ils font fête avec une gaieté mesurée. (Outre les dialectes francs de Moselle et Rhin purs qui ne sont plus parlés que dans quelques villages écartés ou dans des sociétés cultivant l'usage du dialecte, il y a aussi un patois mélangé, souvent nommé "Saarländisches Platt", le parler spécifique des zones urbaines industrielles.)
Le Sarrois est par sa nature d'une sensibilité caractérisée par religion, paysage et histoire qui se traduit plutôt par une réceptivité productive que par l'activité énergique qui est normalement attribuée aux Allemands. Extase et protestation vigoureuse ne sont pas l'affaire des Sarrois. Les compatriotes éloignés les appellent parfois Français Sarrois et crapule, parfois ils leurs confèrent des décorations (après le plébiscite de 1935 et le retour au Reich ils leurs régalèrent même un théâtre imposant!).
Le Sarrois aime porter costume, cothurne et masque. Mais il ne se produit pas en public; sa scène est la maison, le garden-party, les fêtes municipales ou le petit bistro au coin de la rue.
Une curiosité particulière: la joie de vivre sarroise se passe au-delà de la frontière. Car le plus haut sommet gastronomique de Saarbrücken se trouve en France. Sur les hauteurs de Spicheren, à 341 m au-dessus du niveau de la mer au "Restaurant Woll" se rencontrent la bohème et les gens à la mode (de la vie politique, culturelle et des affaires) dans le dernier restaurant sarrois traditionnel. Avec un "Côte du Rhône", toutes sortes de produits de l'art culinaire et des conversations l'entente des peuples français et allemand se réalise directement et concrètement.

Parlons un peu des fils plus ou moins bien connus du Saarland. Parmi eux se trouvent deux généraux: Michel Ney, le maréchal de Napoléon, né à la forteresse française de Saarlouis, qui prit une fin sans gloire en 1815 après Waterloo et le général Paul von Lettow Vorbeck de Wallerfangen, le commandant des troupes coloniales dans l'Afrique de l'Est pendant la Première Guerre mondiale.
Il y a aussi deux dignitaires ecclésiastiques qui proviennent de Sarre et Blies:
l'évêque de Trèves Matthias Wehr (1892-1967) de Faha en Saargau et l'archevêque de Munich, le cardinal Joseph Wendel (1901-1960) de la ville baroque de Blieskastel. En outre trois présidents d'état sont directement ou indirectement originaires de la Sarre:
les ancêtres du 34e président des Etats Unis, Dwight D. Eisenhower, venaient de Karlsbrunn au Warndt, les aïeuls du 6e président de la République Fédérale d'Allemagne, Richard von Weizsäcker, viennent du moulin de Wadsack près de Altstadt-Homburg, et Erich Honecker, chef du Conseil d'Etat de la République Démocratique d'Allemagne, qui est né à Wiebelskirchen sur Blies.
Finalement il faut mentionner deux femmes éminentes: Elisabeth von Nassau-Saarbrücken (1390-1456), une princesse lorraine qui à la court de Saarbrücken traduisit les premiers romans français en vers en allemand et Katharina Weissgerber, nommée "Schultze Katrin", la fille d'une famille bourgeoise de Saarbrücken qui pendant la guerre franco-allemande de 1870/71 aidait et consolait les soldats blessés et mourants. Ces deux femmes représentent deux virtues sarroises: les liaisons culturelles et la réconciliation entre l'Allemagne et la France - virtues européennes.

We Saarlanders

Art of living, joy of life, pleasure in social life and amusement, chatting, choral singing, being rooted in the soil, a ponderous way of speaking (in standard speech and in dialect), ”Lyoner” (a pork/veal sausage) and crisp ”Reibekuchen” (potato waffles), regional beers and French wines, ”Gauwhisky” (fruit schnapps from the Saargau) and Viez (cider from Merzig), moderate abundance, restrained boisterousness: all this is said to be typical of the Saarlanders. These stereotypes, prejudices and clichés, affectionate portraits painted by Saarlanders for Saarlanders are both right and wrong. The strike of the pen and the tinge of colours get at the heart of the matter and become blurred at the edges. The facts seem to be:
The Saarlander is a mixture of Gaulish-Frankish origins, a race of men that cannot be as pure as Frisians or Bavarians. For too many different peoples have lived and worked along Saar and Blies for the past 2000 years. Countless families, clans and tribes intermingled in this border land and united like sources and streams joining their waters in one living river. Wherever you may turn your eyes and ears, you will find the cellars, the cuisine, the opinions and fashions of the Saarlanders influenced by Lorraine, Rhineland, Moselle, Palatinate, Prussia and Burgundy.
In contrast to the neighbours in Lorraine, who speak or at least understand two languages, French and German, the Saarlander is monolingual and he speaks with two different tongues. In the north he speaks the Frankish dialect of the Moselle, in the south that of the Rhine. The ”Northerners” speak in a coarse twang, they roll the ’r’ at the tip of their tongues, and they are pleasantly taciturn and cordial. Silent at work they are happy and boisterous at celebrations. The ”Southerners” speak in a melodious singsong and are lively and cheerful. Though commonly talkative people they are quietly happy when they celebrate. (Apart from the pure Frankish dialects of Moselle and Rhine, which are now only spoken in remote villages or in circles cultivating dialects, there is a mixed dialect, usually known as ”Saarländisches Platt”, which is the specific colloquial speech of the urban industrial zones.)

Influenced by religion, landscape and history the Saarlander has developed a sensitive nature that shows itself in productive receptivity rather than in the energetic action that is usually attributed to the Germans. Ecstasy and loud protest do not seem to be the thing of Saarlanders. Their more distant compatriots sometimes call them Saar-French and riffraff, sometimes they give them medals (after the plebiscite of 1935 and the return to the Reich they were even given a grandiose theatre!). The Saarlander himself likes wearing fancy dress, cothurnus and mask, but he does not play in public. His stage is at home – at the garden party, at city festivals in the pedestrian precinct or in the little pub round the corner.
A particular oddity: the joy of life takes place on the other side of the frontier. For the highest gastronomic peak of Saarbrücken is situated in France. On the ”Spicherer Höhen”, 341 m above sea-level at the ”Restaurant Woll” the bohemian world and the in-people (from politics, culture and business) meet in the last traditional-style inn. With a ”Côte du Rhône” and all kinds of delicacies and a lot of talking the international understanding between French and Germans takes place directly and practically.
The Saarland has brought forth some more or less well-known offspring, for example two generals: Michel Ney, field marshal under Napoleon, who was born in the French fortress of Saarlouis and met an inglorious end after Waterloo in 1815; and General Paul von Lettow Vorbeck from Wallerfangen, who was commander of the German colonial force in East Africa during the First World War. Two dignitaries of the Church come from Saar and Blies: the bishop of Trier, Matthias Wehr (1892-1967) from Faha in the Saargau and the archbishop of Munich, Joseph Cardinal Wendel (1901-1960) from the baroque town of Blieskastel. Three presidents stem directly or indirectly from the Saarland: the ancestors of the 34th President of the United States, Dwight D. Eisenhower, came from Karlsbrunn in the Warndt; the forefathers of the 6th President of the Federal Republic of Germany, Richard von Weizsäcker, came from the Wadsack Mill near Altstadt-Homburg, and Erich Honecker, Head of the Council of State of the German Democratic Republic, was born in Wiebelskirchen on the Blies.
Last but not least there are two distinguished women from the Saarland: Elisabeth von Nassau-Saarbrücken (1390-1456), a princess from Lorraine, who translated the first French novels in verse into German, and Katharina Weissgerber, called ”Schultze Katrin”, the daughter of a middle-class family from Saarbrücken, who helped and consoled the wounded and dying soldiers in the German-French war of 1870/71. These two represent two virtues of the people on the Saar: cultural ties and national reconciliation between Germany and France – European virtues.

Verzeichnis der Abbildungen

Inventaire des illustrations

The captions

Seite 24 Marktplatz in Tholey	Tholey. Market place	Tholey. La place du marché
Seite 25 Schaumberg bei Tholey	"Schaumberg" near Tholey	"Schaumberg" près de Tholey
Seite 26 Skulpturenstraße bei Baltersweiler	The sculture road near Baltersweiler	La route des sculptures près de Baltersweiler
Seite 27 Höckerlinie bei Hofeld	Tank traps near Hofeld	Les obstacles antichars près de Hofeld
Seite 28 St. Wendel: Basilika	St. Wendel: Basilica	St. Wendel: La Basilique
Seite 29 St. Wendel: Schloßplatz	St. Wendel: "Schloßplatz"	St. Wendel: "Schloßplatz"
Seite 30 Ottweiler	Ottweiler	Ottweiler
Seite 31 Schloßplatz in Ottweiler	Ottweiler." Schloßplatz"	Ottweiler. "Schloßplatz"
Seite 32 Homburg: Blick vom Schloßberg auf die von Napoleon gebaute Kaiserstraße	Homburg: View at the "Kaiserstraße" built by Napoleon	Homburg: Vue sur la "Kaiserstraße" construite par Napoleon
Seite 33 Homburg: Blick auf die Altstadt	Homburg: View to the old part of Homburg	Homburg: Vue sur la vieille ville
Seite 34 Römerstadt in Schwarzenacker	Schwarzenacker: Roman town	Schwarzenacker: Ville romaine
Seite 35 Klosterruine in Wörschweiler	Wörschweiler: Ruins of a monastery	Wörschweiler: Ruines d'un monastère
Seite 36 Schäfer im Bliesgau	Bliesgau: Shepherd	Bliesgau: Berger
Seite 37 Blies bei Breitfurt	The River Blies near Breitfurt	La Blies près de Breitfurt
Seite 38 Pferdestall	Stable	Ecurie
Seite 39 Alschbach	Alschbach	Alschbach
Seite 40 Blieskastel	Blieskastel	Blieskastel
Seite 41 Barockes Blieskastel	Blieskastel	Blieskastel
Seite 42 Bexbach	Bexbach	Bexbach
Seite 43 Böckweiler: Ehem. Prioratskirche	Böckweiler: Former priory church	Böckweiler: L'ancienne église du prieuré
Seite 44 a Brunnen in der Fußgängerzone	Fountaine in the pedestrian precinct	Fontaine dans la zone piétonnière
b Neunkirchen: Stadt auf vielen Hügeln	The city: a town on hills	Neunkirchen: une ville montueuse
c Einkaufszentrum an der Blies	Shopping centre near the River Blies	Centre commercial près de la Blies
d Stumm-Denkmal vor der Hütte	Statue of Freiherr Stumm near the steelworks	La statue de Freiherr Stumm près de l'aciérie
Seite 45 Neoromanische Kirche im Spiegel der Fassade des Bürgerhauses	Neo-Romanesque Church	L'église néo-romane
Seite 46 Der Gollenstein bei Blieskastel	The "Gollenstein" near Blieskastel a megalith	Le "Gollenstein" près de Blieskastel un menhir
Seite 47 Der Stiefel bei St. Ingbert	The "Stiefel" near St. Ingbert	Le "Stiefel" près de St. Ingbert
Seite 48 Marktplatz in St. Ingbert mit einer Plastik von Hans Schröder	St. Ingbert: Market-place with a sculpture by Hans Schröder	St. Ingbert. Place du marché avec une sculpture de Hans Schröder
Seite 49 Blick von der Josephskirche auf St. Ingbert	View from the Josephskirche to St. Ingbert	Vue sur St. Ingbert de la Jakobskirche
Seite 50 Ormesheim	Ormesheim	Ormesheim
Seite 51 Blick von den Spicherer Höhen nach Völklingen hinüber	View from the "Spicherer Höhen" to Völklingen	Vue sur Völklingen de la Côte de Spichern
Seite 52 Saarschleuse bei Güdingen	The River Saar. Lock near Güdingen	La Sarre. L'écluse près de Güdingen
Seite 53 Saarkähne vor dem Regierungsviertel	barges on the River Saar	Les péniches de la Sarre
Seite 54 Blick vom Schloßgarten auf Saarbrücken-St. Johann	Saarbrücken: View from the "Schloßgarten" to St. Johann	Sarrebruck: Vue sur St. Johann du "Schloßgarten"
Seite 55 Ludwigsplatz mit Ludwigskirche	The"Ludwigsplatz" with the "Ludwigskirche"	Le "Ludwigsplatz" avec la "Ludwigskirche"
Seite 56 Rathaus in Saarbrücken-St. Johann	Saarbrücken-St. Johann. Town hall	Sarrebruck-St.Johann Hôtel de ville
Seite 57 Innenhof der "Stadtgalerie"	Interior court of the "Stadtgalerie"	La intérieure de la "Stadtgalerie"
Seite 58 a Blick auf die Wilhelm-Heinrich-Brücke	View of the "Wilhelm-Heinrich-Brücke"	Vue sur la "Wilhelm-Heinrich-Brücke"
b Saarländisches Staatstheater	Theatre	Théâtre
c Blick von der Westspange auf Saarbrücken	View of the Centre to Saarbrücken	Vue sur le centre de Sarrebruck
d Berliner Promenade	"Berliner Promenade"	"Berliner Promenade"